IL ÉTAIT UNE FOIS DANS LA VALLÉE

DU MÊME AUTEUR
CHEZ POCKET

LA TERRE QUI DEMEURE
LA GRANDE MURAILLE
UNE FOIS SEPT
J'AI CHOISI LA TERRE
CETTE TERRE EST TOUJOURS LA VÔTRE
ROCHEFLAME
LA NUIT DE CALAMA
LES DÉFRICHEURS D'ÉTERNITÉ
EN ATTENDANT MINUIT
QUELQUE PART DANS LE MONDE
QUAND CE JOUR VIENDRA
LES TRIBULATIONS D'ARISTIDE
ILS ATTENDAIENT L'AURORE
IL ÉTAIT UNE FOIS DANS LA VALLÉE

DES GRIVES AUX LOUPS

1. DES GRIVES AUX LOUPS
2. LES PALOMBES NE PASSERONT PLUS
3. L'APPEL DES ENGOULEVENTS
4. LA TERRE DES VIALHE

MON PÈRE, EDMOND MICHELET

POUR LE PLAISIR, SOUVENIRS ET RECETTES
Avec Bernadette MICHELET

CLAUDE MICHELET

Claude Michelet est né en 1938, à Brive-la-Gaillarde, en Corrèze. En 1945, la famille vient s'installer à Paris pour suivre son père, Edmond Michelet, nommé ministre des Armées dans le gouvernement du général de Gaulle. S'étant destiné dès 14 ans au métier d'agriculteur, Claude Michelet s'installe dans une ferme en Corrèze, après avoir effectué son service militaire en Algérie. Éleveur le jour, il écrit la nuit. Il publie en 1965 un premier roman, *La terre qui demeure*, suivi de *La grande Muraille* et d'*Une fois sept*. Parallèlement, il collabore à *Agri-Sept*, hebdomadaire agricole. En 1975, *J'ai choisi la terre*, son plaidoyer en faveur du métier d'agriculteur, est un succès. La consécration a lieu avec le premier volume de la tétralogie retraçant l'histoire de la famille Vialhe, *Des grives aux loups*, qui fait l'objet d'une adaptation télévisuelle. Comme en témoignent ses romans ultérieurs, son goût pour la vie paysanne, qu'elle ait ses racines en France ou au Chili (*Les promesses du ciel et de la terre*, 1985-1988), est pour lui une source d'inspiration romanesque sans cesse renouvelée.
Comptant parmi les fondateurs de l'école de Brive qui a réuni plusieurs écrivains autour d'un amour commun pour le terroir, et aujourd'hui membre créateur de la NEB (Nouvelle École de Brive http://www.quidneb.com), Claude Michelet est aussi l'auteur du livre le plus lu dans le monde rural, *Histoires des paysans de France* (1996).

CLAUDE MICHELET

IL ÉTAIT UNE FOIS DANS LA VALLÉE

ROBERT LAFFONT

Pocket, une marque d'Univers Poche, est un éditeur qui s'engage pour la préservation de son environnement et qui utilise du papier fabriqué à partir de bois provenant de forêts gérées de manière responsable.

ISBN 978-2-266-21557-2

SOUVENIRS D'ENFANCE

Il était une fois dans la vallée

J'avais huit ans et la vie était belle. Belle comme cet après-guerre dont nous vivions les premières joies. Lui, il s'appelait Gérard et, à mes yeux, c'était un vieillard d'au moins quarante ans ! Dieu qu'il me semblait vieux et impressionnant, cet homme taciturne qui, en dépit de sa taille, de son âge et de son état, parvenait à se fondre dans le paysage et dans la vie de la ferme ; à passer inaperçu.

Je ne sais plus du tout s'il avait les yeux bleus et les cheveux blonds. J'ignore s'il était natif de Hambourg, de Cologne, de Stuttgart ou d'ailleurs, là n'est pas la question ; il était allemand et prisonnier, un point c'est tout !

Prisonnier, c'est le mot qui convient mais c'est quand même vite dit car il n'y avait, chez nous, sur notre ferme, ni barbelés, ni miradors, ni mitrailleuses. Et si Mirot, notre chien de garde, était champion pour surveiller les vaches (toujours prêtes à filer chez les voisins puisque nulle clôture ne les retenait), jamais il n'aurait mordu quelqu'un, pas même le facteur ou un gendarme ! C'est dire s'il était aimable, même avec un prisonnier allemand !

Pourtant, en ces temps-là, dans nos provinces, les Allemands avaient très mauvaise presse. En ce mois de septembre 1946, en Corrèze comme ailleurs, certains souvenirs étaient trop proches, trop brûlants ; et si elles ne flambaient plus, comme deux ans plus tôt, les ruines des proches maisons incendiées rappelaient le sinistre passage de la *Das Reich*...

Gérard le savait très bien et faisait tout pour se faire oublier. Mais il avait beau être discret et surtout très vieux – j'ai dit quarante ans, mais il en avait peut-être même quarante-deux ! –, il était mon copain.

À l'inverse de ses deux prédécesseurs et compatriotes qui bougonnaient sans arrêt, ne cachaient pas le mépris que nous leur inspirions et qui, profitant de l'absence de surveillance, avaient choisi la liberté (obligeant ainsi mes parents à payer l'amende qui frappait ceux qui se révélaient incapables de surveiller leurs prisonniers), Gérard semblait prendre son mal en patience. Il aidait très efficacement notre fermier pour tous les travaux des champs et surtout il gardait les vaches, avec moi, naturellement.

J'ai toujours aimé garder les vaches, c'est une pratique aujourd'hui disparue et désuète et il est peu probable qu'elle revienne à la mode. Mais j'assure qu'elle me procura jadis des instants de grand bonheur ! Car, suivant les saisons, garder les vaches c'était courir les nids et les buissons, faire des pipeaux en écorce de châtaignier ou des *pétaroux* dans les tiges tendres des sureaux. C'était, en été, la visite des arbres fruitiers du coin, puis entre deux reines-claudes sucrées comme du miel le délicieux barbotage dans le proche ruisseau pour y traquer quelques écrevisses. En automne, c'était la quête aux cèpes et aux châtaignes, la tournée des buissons chargés de mûres juteuses et craquantes, la visite dans les vignes où mûrissaient le succulent chasselas et le rayon d'or... Il n'était qu'en hiver que cette occupation pastorale devenait corvée ; alors, pour y couper, on laissait les vaches à l'étable. Oui, garder les bêtes en belle saison m'emplissait d'un plaisir profond.

Oh, je sais, j'en devine quelques-uns – ou quelques-unes – qui sourient avec condescendance en lisant ces lignes et qui pensent, *in petto* : « Non mais, voyez le rustre ! Le barbare ! Enfin, brisons là, nous ne sommes pas du même monde et n'avons pas gardé les vaches (ou les cochons !) ensemble ! »

C'est ma foi vrai. Je connais et suis parfois contraint de fréquenter quelques individus avec qui, pour rien au monde, je n'aurais voulu garder les vaches, ils m'auraient gâché tout mon plaisir ; c'est d'ailleurs une affaire trop sérieuse pour la confier au premier venu ! Et c'est pour cela que je m'entendais si bien avec Gérard, ce n'était pas n'importe qui, Gérard, puisque c'était mon copain !

Je me souviens… Je me souviens de cet été 1946 qui fut caniculaire ; à ce propos, on dit toujours qu'on n'a pas revu de pareilles saisons depuis, mais ce n'est pas vrai, simplement aujourd'hui les petits garçons ne gardent pas les vaches avec les prisonniers allemands, alors ça change tout !

En ce mois de septembre donc, encore écrasé de soleil et qui sentait si bon les fruits mûrs et le regain chaud, nous ne sortions le troupeau de l'étable qu'en fin d'après-midi, quand les mouches sont moins collantes, les taons moins méchants et quand l'herbe, jusque-là flétrie et attiédie par la chaleur, se redresse et s'étale dans l'attente du serein.

Assoiffées, les bêtes filaient d'abord vers la mare où elles entraient jusqu'au pis avant de s'abreuver en de lentes et bruyantes aspirations, ponctuées de gargouillis caverneux. Une fois désaltérées, elles trottinaient vers la vallée où, déjà, avec le bleu du soir revenait la fraîcheur.

Installés au point stratégique, à l'entrée du sentier qui filait jusqu'à la luzernière du voisin, vers laquelle lorgnaient nos limousines, nous commencions notre garde.

Plus j'y songe et plus je pense que Gérard était le brave des braves car lui, si discret, si muet même, devait subir pendant deux heures le flot ininterrompu de mon bavardage. C'est fou ce qu'un petit garçon de huit ans peut avoir à raconter à quelqu'un qui l'écoute. Et Gérard m'écoutait ; il souriait parfois et je voyais là un encouragement à poursuivre mon intarissable monologue.

Puis vint un soir, un soir en tout point semblable aux autres, beau, chaud, encore plein de chants d'oiseaux et de parfum, de fruits. Je m'en souviens… J'étais si fier de ce petit harmonica, un Hohner, que l'on m'avait offert pour mon anniversaire, quatre mois plus tôt. Jusque-là, j'avais jugé l'objet trop précieux pour le glisser dans ma poche et prendre ainsi le risque de le perdre en courant la campagne.

Mais ce soir-là, qui saura jamais pourquoi, le petit Hohner diatonique était là, dans ma main. La nuit approchait, la vie était belle, j'avais huit ans, j'étais heureux ; heureux de faire entendre à mon copain Gérard tout ce que j'étais capable de jouer sur mon modeste instrument.

Je l'ai dit, le soir venait. Alors, pris d'une subite inspiration et avec toute l'application dont j'étais capable, je modulai du mieux que je pus le fameux « Douce nuit… »

Et la mélodie résonna dans la vallée, petite musique que j'interprétai avec des hésitations, des fausses notes, mais de tout mon cœur. Petite musique qui, brutalement, me fit basculer dans un monde inconnu, insoupçonné, inimaginable même. Devant moi, sans bruit, visage levé vers le ciel déjà sombre, mon copain Gérard, ce vieillard de quarante ans, pleurait en m'écoutant. Je n'avais jamais vu pleurer d'homme…

Comprenant ma stupéfaction et surtout ma gêne, il ébaucha un vague sourire et balbutia, comme pour s'excuser :

— Moi aussi, là-bas, j'ai un petit garçon de ton âge, et il joue le même air…

Je n'ai plus jamais osé jouer devant Gérard qui, un soir de septembre 1946, m'a appris qu'un homme pouvait pleurer.

La neuvième fut la bonne

Antoine ne gardait que de mauvais souvenirs des huit rentrées scolaires qu'il avait jusque-là vécues. Alors, à la veille de la neuvième, nourrissait-il quelques légitimes inquiétudes. Il avait beau se répéter que celle-ci n'avait rien de comparable aux précédentes et qu'il en était, en quelque sorte, l'organisateur, l'appréhension de l'inconnu le taraudait ; comme tous les ans, dès fin septembre, lui revenaient, aigres relents dans la mémoire, toutes les sinistres rentrées passées.

La première d'abord, alors que sa famille et lui vivaient dans cette calme petite ville de province poétiquement surnommée « le riant portail du Midi ». Gentille cité bourgeoise, aux rues pleines de soleil et de gaieté, mais dans lesquelles, comme partout en ces temps-là, déambulaient les uniformes verdâtres des occupants au pas de l'oie.

Par malchance pour Antoine, non seulement ces intrus avaient emprisonné son père depuis des mois, mais ils étaient, de surcroît, incapables de s'opposer à la rentrée scolaire. Ces gens-là étaient décidément impardonnables et méritaient vraiment qu'on les chassât au plus vite ! Pour l'instant, ils étaient toujours présents et la rentrée scolaire tout aussi réelle qu'eux ! Déjà Antoine ressentait les premiers symptômes d'une sévère allergie aux bras croisés, au silence dans les rangs et à certaines stupides obligations en vigueur dans cette classe de onzième où le dirigeait son âge. Mais, pour réticent qu'il soit, il lui fallut sauter le pas, quitter le giron maternel, le chahut avec ses frères et, bourré des recommandations et des appels à la perfection serinés par ses sœurs aînées, franchir la porte de son premier établissement scolaire ; ce n'était pas le dernier, loin de là !

Le contact initial fut pire qu'il ne le redoutait ! En effet, mis à part les classes style maternelle, l'école n'était pas mixte et regorgeait de fillasses braillardes qu'Antoine prit tout de suite en grippe. D'abord parce qu'elles étaient vieilles, au moins treize ou quatorze ans, et même seize ou dix-sept pour les aïeules proches du baccalauréat ! Ensuite parce qu'il les trouvait plus collantes et tout aussi bourdonnantes qu'un nuage de mouches à l'assaut d'un pot de miel. Et tellement agaçantes avec leur stupide curiosité qui les poussait à venir voir à quoi ressemblaient les petits garçons nouveaux venus, s'ils étaient mignons, drôles, gentils, bien élevés, bref, aptes au maternage sirupeux dont elles dégoulinaient toutes. Antoine exécra tout de suite les gloussements grotesques de toutes ces dindes minaudantes et s'enferma dans sa coquille ; il n'était pas à la veille d'en sortir !

La première prise de contact avec la maîtresse, Mlle Christine, une élégante dame âgée d'au moins vingt ans, sinon plus, n'arrangea rien. Non point que Mlle Christine fût très intimidante et sévère, elle l'était beaucoup moins – et surtout plus belle ! – que l'ascétique vieillarde, un peu barbue et à chignon gris, présentée comme la directrice de l'école. Il était de plus manifeste, et cela sauta tout de suite aux yeux d'Antoine, que Mlle Christine faisait tout pour consoler et mettre à l'aise la trentaine d'enfants dont elle avait la charge et dont certains beuglaient comme des veaux au sevrage. Bref,

Antoine se sentait presque prêt à coopérer et à prouver qu'il savait déjà déchiffrer « la pipe de papa » et plus ardu encore, lorsque survint le drame.

Il éclata alors que s'estompaient enfin et se faisaient plus rares les reniflements et les hoquets des bambins abandonnés par leur mère. Aussi ce fut dans un silence presque total et alors que Mlle Christine était en train de calligraphier au tableau la date et le saint du jour que résonna un sanglot. Un lourd sanglot, d'autant plus triste et poignant, et surtout choquant pour les enfants, qu'il émanait de la maîtresse, toujours tournée vers le tableau, mais dont les épaules tressautantes trahissaient l'immense détresse…

Pour Antoine, en ce jour de sa première rentrée scolaire, ces larmes inexplicables furent celles qui firent déborder le vase ! Car passe encore que certains de ses compagnons et compagnes de la classe se laissent aller au chagrin, c'était de leur âge. Et même si Antoine trouvait indécent ce flagrant manque de dignité et de contrôle, il le pardonnait. Mais qu'une adulte en vienne à ce détestable aveu de faiblesse, c'en était trop et, pour tout dire, une sorte de fin du monde !

Ce ne fut que des années plus tard, au hasard de ses pérégrinations à travers la France, qu'Antoine eut le fin mot de l'histoire et qu'il apprit enfin pourquoi la gentille Mlle Christine n'avait pu, ce jour-là – il y en eut beaucoup d'autres ! –, maîtriser sa peine. Elle était alors sans nouvelles de son fiancé, prisonnier en Allemagne depuis des mois, et l'inquiétude la rongeait. Il n'empêche que, pour Antoine, ces sanglots d'adulte gâchèrent sa première journée de classe.

La seconde rentrée, quoique moins dramatique, ne fut pas plus gaie. Il est vrai que sa famille et lui, suite à la fin de la guerre et à une promotion professionnelle inattendue de son père, retour de déportation, étaient montés s'installer à Paris. S'il avait toujours pu y vivre en vacances, Antoine aurait apprécié cette grande ville ; même si lui manquait souvent – surtout par beau temps – l'espace sauvage et campagnard qui s'étendait autour de la maison familiale limousine de vacances, il savait se distraire dans la capitale.

Malheureusement, il y avait, une fois encore, une rentrée à subir dans un établissement et un arrondissement inconnus. Ce fut les pieds lourds qu'il pénétra dans l'immense école, au style caserne, que géraient des adjudants en soutane qui, sous la fallacieuse appellation de « Bons Pères », étaient surtout d'authentiques peaux de vache ! Et il suffit, dès la première heure, qu'Antoine voie un surveillant – un civil il est vrai, mais à trogne de mafieux new-yorkais – se servir de la chaîne de son sifflet pour flageller, avec un plaisir évident, les crânes et les fesses de quelques chahuteurs inconscients, pour que cette deuxième rentrée commence aussi mal que la première. Et ce n'était qu'un début !

En effet, à peine les élèves s'étaient-ils installés que la maîtresse – une boulotte à lunettes et socquettes blanches – les prévint que, selon la consigne en vigueur, elle allait sans plus attendre vérifier si nul, dans la classe, n'était porteur de poux ! Pour ce faire, elle allait passer de crâne en crâne et, à l'aide de deux aiguilles à tricoter, traquer l'infâme insecte et ses lentes !

De sa vie, Antoine ne s'était jamais trouvé confronté à ce qu'il estimait être le comble de l'humiliation ! Aussi décida-t-il que, dût-il en pâtir, jamais l'enquêtrice ne farfouillerait dans ses mèches ! Donc, au lieu de rester sagement assis lorsque son tour arriva, il se leva d'un bond et prévint :

— Chez nous, il n'y a pas de poux, on se lave la tête !

— Il y en a partout depuis la guerre, chez vous comme chez les autres ! assura la maîtresse en s'approchant, aiguilles en mains.

Il recula puis, soudain animé par une de ces imprévisibles et tonitruantes colères dont il avait le secret, il s'arracha une grosse poignée de cheveux et les présenta au bout du poing en hurlant :

— Tenez ! Regardez ! Je vous dis qu'il n'y a pas de poux chez nous ! D'ailleurs la guerre est finie !

Il protestait encore à pleine voix lorsque la maîtresse, l'attrapant par une oreille, l'expulsa de la classe pour une durée indéterminée. Comme rentrée, c'était réussi ! Après de semblables débuts, il était impossible que l'année soit moins orageuse que ce premier jour et Antoine se demandait déjà et de plus en plus souvent ce qu'il faisait là alors qu'il eût fait si bon vivre sur les hauteurs corréziennes.

C'est en classe de huitième et dans le même établissement caserne, où le surveillant à sifflet et à gueule de nervi faisait toujours régner une terreur absolue, qu'Antoine vécut sa troisième rentrée. Elle fut aussi ratée que les précédentes.

Il est vrai que la malchance l'avait cette fois placé dans une classe tenue par une espèce d'hommasse à la sévérité, voire au sadisme, sans bornes, à poigne de fort des halles et à voix de baryton Martin. Mais comme elle s'appelait Mlle Lebot – un comble ! – et que, malgré un faciès équin et une silhouette de poulinière gravide, elle se fardait un brin et portait corsage et jupe plissée, il fallait bien en conclure qu'elle était du genre féminin ; la douceur en moins, bien entendu !

Ce fut d'ailleurs à cause de son désir d'afficher à tout prix une féminité qui, de prime abord, ne sautait pas aux yeux que fut gâchée, dès la première demi-heure, cette nouvelle rentrée scolaire d'Antoine. De taille plus petite que la moyenne pour son âge, il faut bien dire qu'il avait tenté le diable en jugeant malin, lors du choix des pupitres, de se mettre loin de portée de la chaire, c'est-à-dire au fond de la classe et en s'asseyant sur son cartable pour paraître beaucoup plus grand qu'il ne l'était ! Las, le dragon qui sévissait sur le troupeau de gamins qu'il entendait mettre au pas avait l'œil à tout. Moins de deux minutes après la prière en vigueur dans l'établissement et qui précédait le premier cours, Antoine était fermement conduit par le bout de l'oreille méchamment pincé par une main d'hercule, au pupitre du premier rang, celui qui, juste placé devant le bureau de la maîtresse, ne laissait aucun espoir quant à une éventuelle dissipation ou inattention de son occupant. Ça commençait très mal et ce n'était pas fini…

La preuve, alors que se déroulait l'appel, par ordre alphabétique, des trente et quelques garçonnets de la classe, Antoine, placé comme il l'était, c'est-à-dire avec les yeux à la hauteur des genoux de Mlle Lebot, ne put s'empêcher de glousser à la vue des jambes qui arpentaient l'estrade. Gloussements d'abord discrets, mais qui devinrent peu à peu fou rire. Hilarité même et de telle ampleur qu'il importait de la faire partager au plus vite à son voisin.

Aussi, en dépit d'une des premières recommandations de la maîtresse, à savoir qu'il était interdit de parler, sauf si l'on était interrogé, et que, selon la règle, il fallait toujours et en tout « obéir comme un cadavre ! » aux injonctions des professeurs, Antoine se pencha vers son compagnon de banc et lui glissa :

— T'as vu ? Cette conne n'a pas les jambes de la même couleur !

Et c'était vrai !

Il faut expliquer aux lecteurs nés après 1950 que les années qui suivirent la guerre étaient de disette, de restrictions et de tickets, d'alimentation et d'habillement. Aussi, exceptionnelles étaient les dames qui pouvaient s'offrir une paire de bas, c'était du luxe. Alors, pour pallier ce manque, nombre de jeunes femmes en veine de coquetterie jugeaient bon de se teindre les jambes ; qui avec du fond de teint, qui avec de la teinture d'iode, qui encore avec une décoction de chicorée ! Le comble du raffinement et de l'élégance étant d'imiter, d'un fin coup de crayon marron, la couture des bas qui, partant des talons, grimpait sur mollets et cuisses vers des hauteurs inavouables…

Mais Antoine n'était pas encore en âge de trop se demander ce qui se tenait au-delà de l'ourlet de la jupe bleu marine de Mlle Lebot. En revanche, la jambe droite café foncé et la gauche chocolat clair le réjouissaient au-delà de toute décence ! La fête ne dura pas, et la paire de claques qu'il reçut, sans l'avoir vue venir, suivie d'une exposition à genoux devant le tableau lui apprit que, si le rire est le propre de l'homme, il n'était pas celui de cette jeune femme, si disgracieuse et revêche, mais pourtant coquette, qu'était Mlle Lebot, sa maîtresse de huitième. Pour une rentrée sinistre, c'était une rentrée sinistre. Et non la dernière…

Parce que la moyenne de ses notes ne correspondait en rien au niveau que se targuait de tenir l'établissement où Antoine avait passé deux ans, sa quatrième rentrée se fit dans une nouvelle école parisienne et dans un autre arrondissement. Aux disciples de saint Ignace de Loyola – joyeux drilles s'il en est ! – succédèrent les frères à quatre bras, autres pédagogues à l'esprit caustique et à la main leste jaillissant d'une étonnante soutane aux manches pourtant apparemment vides.

Mais ce ne fut pas cette étrange particularité vestimentaire qui valut à Antoine de rater cette nouvelle rentrée. Ce fut sa propension – parfois fâcheuse mais on ne se refait pas – à dire tout haut ce qu'il est souvent prudent – ou lâche ? – de taire. Cette fois encore, tout se régla dans la première heure.

Hypnotisé par le large morceau de celluloïd blanc fixé sous le menton et qui tressautait à chacune des paroles du frère Adolphe – un petit homme maigre comme un râteau, au regard charbonneux, à la lippe suffisante et à la voix cassante, mais aux ongles rongés jusqu'au sang –, Antoine en vint à sourire, un peu niaisement sans doute, de tout ce que lui révélait ce ridicule col d'uniforme.

— Comment vous appelez-vous ? entendit-il soudain au-dessus de sa tête.

Il comprit qu'on l'avait repéré et balbutia :

— Antoine, m'sieur…

— On dit : Mon frère, énonça le maître d'une voix déjà lourde de menaces et qui enchaîna : Et pourquoi riez-vous aussi bêtement ?

— Ben… Pour rien, m'sifrère…

Mais une fois de plus et parce que décidément tous les professeurs de la terre en voulaient à ses oreilles, un pouce et un index, heureusement dépourvus d'ongles, se crochetèrent sur un de ses lobes.

— J'exige qu'on réponde à mes questions, insista le frère avec la sournoise douceur du serpent se lovant autour de sa proie, alors, pourquoi riez vous ?

Ce qui le faisait rire ? C'était bien simple pourtant et puisque l'autre voulait absolument savoir, autant le lui dire sans détour et au diable les conséquences…

— Ben… Vous avez tout plein de taches de café et aussi des miettes de pain sur votre bavette, voilà ! expliqua Antoine.

Et s'il entendit bien le rire énorme qui déferla sur toute la classe, ce fut seulement après la paire de claques retentissantes qui le laissa pantois et lui apprit surtout qu'il venait, une fois encore, de rater sa rentrée.

Rien ne s'arrangea au cours des trois années suivantes. Pourtant, en ces temps-là – et peut-être toujours ? – l'entrée en sixième marquait une étape importante. On quittait la cour des petits pour fréquenter celle des grands – au risque d'ailleurs d'y être sévèrement bousculé –, les professeurs étaient tous des hommes et les premiers : *rosa rosae, templum templi,* vous hissaient presque au statut d'étudiant !

Mais la malchance qui poursuivait Antoine était proportionnelle à la réputation qui le précédait : lourde…

En fait, bien avant qu'il n'ait fait connaissance avec ses nouveaux professeurs, ceux-ci semblaient tout savoir de lui. À commencer par ce que d'aucuns baptisaient son mauvais esprit et qui n'était pourtant que ce trait de caractère qui le poussait toujours à répliquer du tac au tac et avec humour aux observations les plus sérieuses, les plus graves. Ensuite, parce qu'il s'était fabriqué un « mode de travail » peu prisé des éducateurs. Et bien que ceux-ci s'entêtassent chaque année à le placer au premier rang – toujours à cause de sa petite taille –, il parvenait, dès que le cours l'ennuyait – et bien peu trouvaient grâce à ses yeux ! – à s'évader purement et simplement. Surtout pas en s'endormant, c'eût été le comble de la maladresse et l'assurance de trois heures de colle le jeudi suivant. Or, en la matière, il donnait déjà beaucoup, même certains dimanches, après la messe de huit heures et demie. Non, sa technique était autre. Yeux grands ouverts et mobiles pour donner le change, l'air si possible passionné par les propos professoraux, il s'embarquait dans ce qu'il avait baptisé son « porte-rêves ». Objet virtuel par excellence, fait à sa taille, bourré de manettes, leviers et autres ustensiles indispensables à son envol et à son guidage. Prototype unique au monde, qui tenait tout à la fois du *Nautilus,* de la machine volante de Robur le Conquérant, de l'avion et de la fusée et dans lequel il s'enfermait et décollait sans plus attendre. Grâce à cet exercice mental de haute voltige, longuement mis au point et peaufiné par une pratique assidue, il parvenait, sans en avoir l'air et sans quitter son pupitre, à courir les bois et les landes de sa Corrèze natale. Ou encore à échafauder, dans tous ses détails, les plans d'une future cabane suspendue en haut d'un gros châtaignier, les épisodes d'une pêche aux écrevisses, aux *garlèches,* voire à la truite si l'été à venir n'était pas trop sec et le ruisseau qui serpentait au bas de chez lui suffisamment en eau. Bref, il se dédoublait, laissant son apparence sagement assise à sa place tandis que son esprit voguait, heureux, à quelque cinq cents kilomètres du 7e arrondissement…

Bien entendu, cette sorte de mise sur orbite n'échappait pas toujours aux professeurs ; à sa réputation d'impertinent venait alors s'ajouter celle d'un inattentif chronique. De là à le classer sans plus attendre parmi les cancres, il n'y avait qu'un pas.

Il fut franchi dès son premier redoublement lorsque, le jour même de la rentrée – comme toujours ! –, le professeur, qu'une saine pédagogie n'étouffait pas, le présenta à tous les nouveaux venus comme l'exemple type à ne jamais suivre, le mauvais élève à l'avenir plus que douteux et qui, peut-être, finirait sous les ponts ; encore une chance, le bagne de Saint-Laurent-du-Maroni était fermé depuis plus de dix ans !

Sa dernière rentrée parisienne s'effectua dans un nouvel établissement car, de toute évidence, sa présence n'était plus du tout désirée dans la précédente école.

Là encore, il fut placé au premier rang, à portée de règle du maître. Un brave homme au demeurant, mais qui avait l'énorme défaut de fumer comme un haut fourneau. Et l'inconvénient encore pire, outre de postillonner à tout-va, de toujours parler dans le nez des élèves, surtout dans celui d'Antoine puisqu'il était le plus proche de lui !

Aussi, passe encore les postillons qu'Antoine épongeait ostensiblement avec un buvard sur son pupitre et ses cahiers ; mais être pris à la gorge par l'insupportable et fétide odeur de tabac, au point d'en suffoquer en d'interminables et douloureuses quintes de toux, c'était trop. Surtout pour le maître qui, croyant sans doute à quelque nouvelle forme du mauvais esprit d'Antoine, dont on l'avait averti – les dossiers scolaires existaient déjà ! –, l'expédia au tableau avec mission d'y résoudre un problème auquel, bien entendu, Antoine ne comprenait rien ! Par chance, parce que ses quintes ne diminuaient pas, le professeur, excédé, le fit changer de place et l'envoya au fond de la classe ; il ne pouvait pas lui faire un plus beau cadeau ! Là au moins, loin des miasmes tabagiques et des postillons jaunâtres, loin de tout, loin de Paris, Antoine pouvait rêver à loisir à sa Corrèze natale.

Rêver, certes, mais surtout calculer comment il allait parvenir à ses fins. À savoir comment convaincre son père que la vie et les métiers citadins n'étaient pas faits pour lui. Que seule l'attirait la terre, la solide, la vraie, celle des paysans. Et surtout que, malgré son jeune âge, sa décision d'être un jour agriculteur n'était pas une lubie, mais une passion, une vraie, une vocation.

Elle le tenaillait depuis des mois, il fallait donc coûte que coûte la concrétiser et, pour ce faire, trouver les arguments massue, ceux qui feraient mouche et qui prouveraient à ses parents qu'il était décidé à conduire sa passion jusqu'au bout, quitte pour cela à abandonner père et mère, frères et sœurs, copains de classe et de scoutisme et à partir en pension dans une école d'agriculture…

Et maintenant, ses parents convaincus, après des mois de siège, il était au pied du mur et quelque peu inquiet. Certes, une visite préalable à l'école Notre-Dame-des-Blés, début août et par un soleil éclatant, l'avait enthousiasmé.

L'école, située dans la Brenne, contrée pleine d'étangs, de landes et de marécages, l'ensemble foisonnant d'oiseaux de toutes espèces, se dressait à l'orée d'une forêt de chênes de plusieurs milliers d'hectares. Elle se signalait d'abord par le majestueux château, bordé de douves sur deux côtés, autour duquel, çà et là, se devinaient, cachés par des futaies, les bâtiments de ferme, les dortoirs et les classes.

Habitué à l'austérité et à la grisaille des écoles parisiennes, Antoine avait cru rêver en découvrant son futur lieu de travail ; il était encore plus attirant qu'il n'avait osé l'espérer. Et la visite des salles de cours et des dortoirs, installés dans les anciennes et splendides écuries – vestige de la lointaine richesse des précédents propriétaires du domaine –, l'avait stupéfié. L'ensemble était en pleine nature, bien tapi à l'ombre de grands chênes, de marronniers, de platanes centenaires et à quelques pas des premiers champs et des prairies dans lesquelles paissaient les vaches. Un enchantement pour le petit écolier parisien qu'était devenu Antoine après la déjà longue fréquentation d'établissements dont la réputation n'était plus à faire mais qui, pourtant, ne l'avaient guère ouvert aux joies de l'étude…

Comme, de surcroît, l'accueil du directeur, un ecclésiastique solide et rassurant, à l'œil malicieux, avait été on ne peut plus affable, Antoine en était presque venu, phénomène ahurissant et jamais ressenti, à regretter que la rentrée ne se fasse pas séance tenante ! On était au cœur de l'été, il faisait un temps magnifique, la campagne était somptueuse, toute palpitante d'oiseaux, de chants des grillons, lourde d'odeurs des moissons. Et, dans les douves à l'eau verdâtre, d'énormes carpes bâillaient paresseusement à l'ombre des nénuphars. Tout était parfait.

Le temps avait sinistrement changé en ce début octobre 1952, et, cette fois, la Brenne avait, somme toute, son vrai visage ; celui qu'elle arbore dès l'automne venu et qu'elle ne quitte, presque à regret, qu'à la fin du printemps. Un visage sévère, froid, tout ruisselant de cet épais brouillard qui, naissant de quelque mille étangs qui stagnent dans la région, s'étale partout, déforme tout, cache les forêts et les maisons, étouffe tous les sons et oppresse vite les non-initiés au pays.

Mais, pour Antoine, ce n'était pas le moment de flancher ni de se laisser aller à regretter son choix. S'il était là, plutôt désorienté il faut le dire, c'est qu'il l'avait souhaité, voulu, calculé, et il estimait qu'il eût été de très mauvais goût de se plaindre de quoi que ce soit.

D'accord, ce brouillard était sinistre ; la preuve : les salles de classe et les dortoirs, si pimpants au soleil d'août, avaient désormais une allure très rébarbative.

D'accord, Antoine, qui n'était toujours pas très grand, se sentait un brin perdu au milieu de lascars dont plusieurs – ceux de la troisième et dernière année –

étaient taillés comme des bûcherons canadiens et le dépassaient de deux têtes !

D'accord, certaines réflexions étaient peu plaisantes, du genre :

— T'as vu le Parisien, l'a sûrement jamais vu une chieuvre ou une treue !

— Vôaire même un viau ! renchérissait un autre ancien.

— Et puis t'as vu comme il est chti, eul'bou-houmme, guère plus haut que mon queuteu farmé ! insistait un troisième larron.

Chieuvre ? Treue ? Viau ? Chti ? Queuteu farmé ? Là, Antoine devait reconnaître – mais il ne l'aurait pas avoué pour un empire ! – qu'il ne comprenait goutte au parler et à l'accent berrichons. Il connaissait les chèvres, les truies, les veaux, un couteau fermé et se savait petit, mais il lui fallut plusieurs mois pour habituer son oreille au jargon dont usaient nombre de ses camarades et traduire correctement leurs propos !

Mais il n'était pas question, en ce jour de rentrée, de se laisser déborder. Pas question donc d'envisager une seconde de baisser les bras et de regretter quoi que ce soit ! C'est donc bien décidé à faire face, à oublier les sarcasmes des anciens, l'éloignement d'avec sa famille et ce maudit brouillard qu'il prit place en salle de cours.

Rendu prudent par les précédentes et malheureuses expériences, il ne se glissa pas au dernier rang, mais au troisième, juste à côté d'une vaste baie ouvrant sur la campagne. Il jugea de très bon augure que le professeur ne l'oblige pas aussitôt à s'installer à sa place habituelle, au premier rang !

Deuxième excellente nouvelle, qui le combla : l'annonce par le professeur de leur emploi du temps. En ces années où l'on avait encore à cœur de préparer de vrais agriculteurs – et non de futurs plumitifs dans quelque chambre d'agriculture ou autre Crédit agricole – dans les écoles d'agriculture, on ne se contentait pas de n'enseigner que la théorie, la pratique tenait la même place. La vraie pratique, celle qui expédiait les élèves, chaque jour et par tous les temps, traire et soigner les trente vaches de l'école, les quatre chevaux, la vingtaine de porcs, les poules et les canards ; sans oublier force travaux à l'atelier ou au garage et, bien entendu, les soins exigés par un potager d'un hectare et ceux demandés par la bonne centaine d'hectares de terres et des prairies qui s'étendaient autour du château…

Aussi, lorsque Antoine comprit qu'à un après-midi et une matinée de classe succéderait, toute l'année, le même nombre d'heures d'ouvrage en plein air, le brouillard qui commençait à se lever, dévoilant, par bribes, la campagne alentour, lui parut soudain très sympathique. Ce n'était qu'un début !

En effet, moins de dix minutes après le début de ce premier cours, Antoine qui ne se lassait pas, tant c'était nouveau pour lui, de contempler le paysage, encore ouaté çà et là par le brouillard, découvrit avec ravissement que deux écureuils facétieux gambadaient de branche en branche dans l'un des thuyas qui se dressaient à dix mètres de là !

Spectacle inouï pour le petit écolier parisien qu'il avait été jusque-là. Et, surtout, joie de réaliser que, pendant les trois ans à venir – temps nécessaire à sa première formation professionnelle –, il allait avoir la chance inespérée d'aller chaque jour en classe en pleine nature. Le bonheur !

— Antoine ! Le tableau n'est pas dehors ! Et puis qu'est-ce qui te passionne tant ? entendit-il soudain.

Il rougit, regarda le professeur, le devina compréhensif, hésita puis avoua :

— Ben, m'sieur, ce sont deux écureuils qui sont là et…

— Oui ? Et alors ? Il y en a partout ici, il faudra t'y faire, d'accord ?

— Oui, m'sieur, promit Antoine avant d'ajouter : Mais je ne suis pas encore habitué, parce que, à Paris, vous savez, m'sieur, les écureuils…

Et il comprit, en entendant rire le professeur, que cette rentrée, à l'inverse des huit précédentes, resterait gravée dans sa mémoire, et à vie, comme un jour de bonheur.

Dès l'année suivante, pendant les grandes vacances, il s'étonna lui-même en s'entendant un jour murmurer, en pensant à son école : « Vivement la rentrée ! »

Farouche

Dès qu'il eut réalisé, cœur battant, à quel point sa trouvaille était d'importance, Dominique comprit aussi que la partie était loin d'être gagnée. Car l'attitude de sa découverte et surtout le regard furieux qui le fixait sans ciller étaient sans équivoque. Tout en elle annonçait la lutteuse prête au combat. Et le fait qu'elle fût magnifique et nullement diminuée par son épreuve ne devait surtout pas faire oublier qu'elle possédait de redoutables armes et qu'elle n'hésiterait pas à en user dès qu'il approcherait la main. L'affaire serait rude !

Quant aux mots doux qui l'invitaient à se calmer, ils étaient inutiles, vains et davantage formulés pour encourager leur auteur que pour apaiser la destinataire. Dominique se doutait bien que ce ne serait pas eux ni la promesse qu'il ne lui serait fait aucun mal, bien au contraire, qui allaient transformer la farouche créature en passive captive.

Là, il ne fallait pas rêver. Et Dominique ne rêvait pas. Mais, tout en calculant de quelle habile façon il allait pouvoir immobiliser et emporter sa proie, le jeune garçon mesurait sa chance. D'abord parce qu'il était au début des grandes vacances et qu'il allait pouvoir s'occuper de sa découverte pendant près de trois mois, si besoin était. Ensuite parce que l'air qu'il respirait depuis huit jours n'était plus le même, tant s'en fallait ! Ici au moins et contrairement à la ville, chaque inspiration donnait le sentiment qu'on se revivifiait, qu'on reprenait des forces. Et le sol qu'il foulait de ses espadrilles, c'était peu dire qu'il n'avait rien de commun avec les trottoirs des boulevards Saint-Germain et Raspail, puis de la rue de Grenelle qui le conduisaient à l'école.

Ici, au cœur de sa Corrèze natale écrasée de soleil et qui embaumait les premières moissons et les éteules, toutes crissantes de grillons et de sauterelles, même les ronces et les orties semblaient aimables !

« Enfin, presque… », se surprit-il à penser en regardant l'estafilade sanguinolente qui zébrait son mollet.

Attiré par le spectacle du grand chêne dont l'orage de la veille au soir avait brisé et jeté bas une partie de la tête, mais surtout par les cris rageurs qui fusaient de l'amas de branchages, Dominique s'était copieusement griffé les jambes. Mais peu lui importait, désormais, c'étaient ses mains, ses bras et surtout ses yeux qu'il allait devoir protéger s'il voulait mener à bien, et sans se faire estropier, l'opération qu'il voulait entreprendre. Parce que ça, vraiment, c'était passionnant, exaltant. Et surtout d'une autre importance que les quelques précédents sauvetages qu'il avait déjà effectués. Tous l'avaient rempli de bonheur et de fierté, mais aucun, jusqu'à cet après-midi de juillet 1952, n'avait soulevé en lui une telle excitation, une telle joie. Car, il n'en doutait pas, il allait trouver les moyens adéquats et les gestes qui lui permettraient, sans trop de griffures, de mettre la main sur cette jeune buse, seule rescapée d'un nid qui, avant l'orage, en abritait trois.

— Non, quatre, murmura-t-il en découvrant, à quelques pas de là, coincé et écrasé entre deux grosses branches fracassées, le corps ensanglanté et déjà couvert de mouches d'un des parents.

« La mère, sans doute, pensa-t-il, elle a dû rester sur le nid pour protéger ses petits de la pluie, mais elle s'est fait surprendre par la violence du vent et surtout par cette grosse branche qui a tout écrasé, sauf ce jeune… »

Car il était bien vivant, ce rapace immature, comme le prouvaient sa couleur et les quelques flocons duveteux qui s'accrochaient encore à ses plumes ; bien vivant et prêt à défendre sa liberté, même au risque d'en crever de faim. Très bien emplumée pourtant et déjà d'une taille honorable, la buse était encore à une bonne semaine de ses premières tentatives d'envol, elle était donc incapable de se nourrir seule. Déjà les halètements saccadés qui s'échappaient de son bec entrouvert montraient que la soif la tenaillait.

— Tu comprends, si je te laisse là, tu es foutue, lui expliqua-t-il, tu es bien partie pour crever de soif et de faim. À moins que, cette nuit même, un goupil en vadrouille ne te transforme en casse-croûte… Alors, laisse-toi faire et tout ira bien, nous serons amis et tu ne le regretteras pas ! Et puis, tiens, à partir de maintenant tu t'appelleras Farouche.

Dominique avait la passion des oiseaux depuis des années, c'étaient eux qui lui avaient permis de ne pas périr d'ennui pendant toutes ces heures de classe auxquelles, hormis la possibilité de rêvasser, ou de lire clandestinement, il ne trouvait aucun intérêt.

Tout avait commencé par un matin de novembre où, comme d'habitude, il hésitait à occuper son temps en sommeillant ou à poursuivre la subreptice lecture du roman ouvert sur ses genoux : parce que Oliver Twist, l'abominable Fagin et la pathétique Nancy, c'était quand même autre chose que les élucubrations qu'ânonnait la maîtresse, Mlle Lebel. C'était une vieille fille aigre, sèche comme une chèvre bréhaigne ; elle empestait la naphtaline et le pipi de chat, et l'abus des cachous lui jaunissait vilainement les dents.

Dominique et elle se vouaient une totale et définitive antipathie depuis le jour de la rentrée. Exactement depuis l'instant où Mlle Lebel, après avoir grincé qu'elle exécrait les redoublants, l'avait relégué, lui, Dominique, seul redoublant de la classe, dans un coin de la pièce loin du radiateur, hélas, mais à côté d'une fenêtre. Le fait que son pupitre fût également tout proche de l'énorme caisse à papier – quasiment une poubelle – n'avait pas échappé à Dominique : on cherchait à l'humilier ! Mais il lui en fallait davantage pour se vexer ; tout ce qui lui importait, c'était d'être assez loin des regards mauvais que lui lançait parfois Mlle Lebel.

Ce jour-là, bien décidé à ne rien retenir de l'insupportable explication de la règle de trois et de sa mise en application, Dominique, entre deux paragraphes d'*Oliver Twist,* se laissait aller à somnoler tout en contemplant le ciel gris que traversaient parfois quelques pigeons parisiens aussi crasseux que neurasthéniques. C'est alors que son regard avait été attiré par un facétieux moineau qui sautillait sur l'appui de la fenêtre et qui, parfois, comme pour jouer, frappait doucement les carreaux à petits coups de bec.

« Ben, mon vieux, moi, si j'étais toi, avec la liberté dont tu disposes, j'irais voler ailleurs ! » avait pensé Dominique sans quitter l'oiseau des yeux. C'est alors que lui était venue l'idée qui allait lui rendre les heures de classe presque sympathiques, un comble ! Puisqu'un moineau venait là, d'autres devaient pouvoir en faire autant, le tout était de savoir les attirer...

Dès le lendemain, et tous les jours suivants, dès qu'il avait fini d'essuyer le tableau et de secouer le chiffon plein de craie à l'extérieur – croyant le brimer, puisque cette opération devait se faire pendant les récréations,

Mlle Lebel lui avait ordonné cette corvée ! –, Dominique disposa des miettes de pain et de biscotte sur le rebord de la fenêtre et commença à guetter…

Le résultat dépassa ses espérances, car, outre une volée de moineaux qui, très vite, prit l'habitude de venir se rassasier là, un couple de pigeons, après s'être gobergé, poussa la familiarité jusqu'à se pavaner, en roucoulant à plein gosier, sur l'appui de la fenêtre, là, à un mètre de son pupitre : le bonheur !

Le bonheur, oui, mais aussi le travail, la rigueur, l'étude même ! Car Dominique comprit très vite qu'il ne servait à rien d'observer passivement les oiseaux et de s'amuser de leurs virevoltes, de leurs batailles pour une miette de pain ou un quartier de pomme. L'amour qu'ils lui inspiraient ne pouvait se contenter de cette niaise contemplation que le premier balandard venu était capable de faire, sans rien en retirer de concret.

Lui, il voulait mieux, il voulait plus ! Savoir, par exemple, si les moineaux qu'il regardait étaient mâles ou femelles, immatures ou adultes, et si les mésanges, qu'il parvint à faire venir – Paris en regorge, mais encore faut-il les reconnaître – en les appâtant avec des bardes subtilisées sur le rôti familial, étaient des charbonnières ou des bleues.

Et, parce que les planches en couleur du dictionnaire paternel se révélèrent insuffisantes pour lui enseigner tout ce qu'il voulait découvrir en matière ornithologique, il se mit en quête de l'atlas grâce auquel, il en était certain, les oiseaux n'auraient plus, ou peu, de secrets pour lui.

La chance l'aida un jeudi après-midi où, après avoir longuement flâné devant les volières et les cages du quai de la Mégisserie – avec la furieuse envie de les ouvrir toutes ! –, ses pas le conduisirent devant les bouquinistes. Et parce qu'il était vraiment trop jeune pour que ceux-ci, attirés par la curiosité qu'il mettait à farfouiller dans les ouvrages, lui proposent des publications vendues sous le manteau, du genre *Paris-Hollywood* ou *La Vie parisienne,* tous lui mirent sous le nez des *Bicot,* des *Pieds nickelés* ou autres crétineries du même acabit. Ce fut quai Voltaire, et alors qu'il était sur le chemin du retour, qu'il trouva enfin un libraire un peu moins borné que ses voisins ; jusque-là, tous, sans exception, n'avaient su que lui proposer de grandes planches en couleurs, arrachées à quelques beaux et vieux livres, lorsqu'il avait demandé un ouvrage sur les oiseaux.

— Tu cherches quoi, au juste ? s'enquit le vieil homme à la blouse grise à qui, sans plus y croire, il venait d'expliquer le but de sa quête.

— Un manuel, un guide sur les oiseaux, pour savoir les reconnaître, quoi…

— J'ai ce qu'il te faut…, assura le vendeur en cherchant dans le fatras de ses caisses. Tiens, voilà, on ne fait pas mieux, dit-il enfin en tendant à Dominique un bouquin un peu écorné et à la couverture austère. C'est un Peterson, le meilleur, et de loin, le *Guide des oiseaux d'Europe,* tu ne trouveras pas mieux !

C'est avec fébrilité que Dominique feuilleta l'ouvrage, les planches étaient superbes et les cartes des zones de migration ne l'étaient pas moins. Mais il y avait un problème, et de taille, qu'il ne put que relever, déçu :

— C'est un bouquin en anglais…

— Ben, pardi, il n'est pas encore traduit en français… Tu as vu, le nom des oiseaux est donné en anglais, mais il l'est aussi en allemand, en hollandais, en suédois, en français et même en latin, c'est déjà beaucoup, non ?

— Peut-être, mais pour le texte…

— Ah ça…

— Bon, se décida soudain Dominique, de plus en plus séduit par la finesse et la précision des dessins, combien ?

— Cent cinquante francs.

— Ah bon !…, dit Dominique, affreusement dépité car la somme dépassait, et de loin, son modeste pécule, et il reposa l'ouvrage après l'avoir feuilleté une dernière fois. C'est trop cher, soupira-t-il, mais, si vous ne l'avez pas vendu dans un mois, je vous l'achèterai… Vous ne pouvez pas me le garder ?

Ses parents lui allouaient cent francs par mois d'argent de poche, il en devait déjà vingt à son frère sur la somme à venir, mais malgré cela et s'il évitait tout autre achat, il pouvait réunir les cent cinquante francs dans les semaines à venir.

— Et pourquoi tu veux acheter ce livre ? demanda le vendeur.

— Parce que j'aime les oiseaux et que je veux les connaître tous, pour mieux les aimer.

— T'as combien de sous ?

— Quatre-vingt-quinze francs, dit Dominique en sortant de sa poche quelques billets chiffonnés et des pièces de dix francs.

— Donne, on est quittes, décida le vieil homme en lui tendant l'ouvrage. J'aime bien les gamins comme toi qui ont des passions, d'habitude c'est pour les petites voitures, les maquettes d'avions ou les soldats de plomb, la tienne est moins banale. Va, et tâche d'apprendre l'anglais !

Dominique avait beaucoup mieux à faire que de s'embarrasser l'esprit avec les subtilités de la langue anglaise ; d'ailleurs, grâce à l'exactitude des dessins du livre, il parvint très vite à différencier une hirondelle des fenêtres de sa sœur dite des cheminées, une fauvette à tête noire d'une grisette ou d'une babillarde, un bruant jaune de son cousin l'ortolan. Désormais, pendant que Mlle Lebel pérorait du haut de sa chaire, il potassait son guide, grand ouvert sur ses genoux.

Complètement indifférent aux divagations de la maîtresse, elle était en train de demander à l'ensemble de la classe ce qu'était devenu un dénommé Ornicar – Dominique se foutait éperdument du sort de cet imbécile, tout absorbé qu'il était par la légère différence qui existe entre un busard Saint-Martin et un busard cendré (l'un possède un fin trait noir sur ses rémiges secondaires) – lorsqu'un choc contre la vitre attira son regard.

Surpris et après s'être assuré que la maîtresse était toujours en train d'écrire au tableau sa grotesque question : « Mais, où, et, donc, or, ni, car ! », il se dressa, regarda le bord de la fenêtre et n'en crut pas ses yeux. Là, assommée mais encore toute frémissante, donc sans doute vivante, gisait une perruche : d'un bleu magnifique tout moucheté de gris, elle était en tout point semblable à celles qu'il avait observées quai de la Mégisserie.

« Elle a dû s'échapper de quelque cage », songea-t-il en tirant doucement un des vantaux de la fenêtre dont la crémone, heureusement, n'était pas bloquée ; persuadée que c'étaient ses élèves et non elle qui empestaient, Mlle Lebel faisait aérer la classe pendant chaque récréation et, comme cette tâche incombait, elle aussi, à Dominique, il la simplifiait en se gardant bien de tourner les poignées à fond. Discrètement, cœur battant et en veillant surtout à ne pas attirer l'attention de la maîtresse, il entrebâilla la fenêtre, glissa prestement la main et recueillit l'oiseau toujours étourdi. Il était chaud et doux et, sous son aile, Dominique sentit son cœur qui palpitait à folle allure. Sans hésiter, il glissa le volatile dans la poche de son blouson, qu'il boutonna, et attendit la fin de la classe ; il avait hâte de soigner sa trouvaille. Il n'en doutait pas, elle allait vivre, grâce à lui.

— Ben quoi, c'est une perruche, c'est tout, lui dit un de ses bons copains alors que, la classe finie, ils rentraient tous les deux vers leurs proches domiciles respectifs.

— Oui, une ondulée, dit Dominique en l'observant.

L'oiseau était maintenant complètement ressuscité et avait même sévèrement pincé les doigts de son sauveur lorsqu'il l'avait sorti de sa poche. Depuis, Dominique l'avait emmailloté de son mouchoir et le tenait précieusement à deux mains, mais sans trop serrer, pour ne pas l'étouffer.

— On en avait un couple chez nous, il y a deux ans, expliqua le copain, mais ma mère en a eu marre. Ça jacasse tout le temps et surtout ça fout des graines tout partout autour de la cage. Et, en plus, notre chat passait son temps à vouloir les bouffer, il en devenait dingue !

— Qu'est-ce que vous en avez fait ?

— On les a données à la concierge, mais toi, qu'est-ce que tu vas en foutre, de celle-là ?

Dominique haussa les épaules, il ne se voyait pas rentrant à la maison avec sa trouvaille ; d'ailleurs, où la mettre dans l'appartement ? Comment la nourrir ? Alors, la relâcher, l'abandonner ? Pas question, elle avait toutes les chances d'aller s'assommer de nouveau contre la plus proche vitrine ! Alors qu'en faire ?

— Tu dis que ta concierge en a déjà ?

— Oui.

— Je vais la lui porter, décida Dominique. Là, au moins, elle sera avec des copines !

Ravie du cadeau, la pipelette, qui possédait déjà une demi-douzaine de perruches, se confondit en remerciements et accepta volontiers que Dominique passe, de temps en temps, prendre des nouvelles de l'accidentée, ce qu'il ne manqua pas de faire. Et il fut ravi de constater, un mois plus tard, qu'elle s'était accouplée.

Les ans passèrent, les écoles fréquentées défilèrent, mais l'amour que Dominique vouait aux oiseaux ne faiblissait pas. Désormais, c'était jumelles en main et guide des oiseaux en poche qu'il occupait toutes ses vacances. Et, lorsque revenait le temps de l'école, il savait meubler son temps en dessinant, de mémoire, les silhouettes des faucons en vol, mais aussi celles des milans noirs ou royaux, des busards, des buses, et en se remémorant les caractéristiques de nombre de passereaux qui, pour les béotiens, sont tous des piafs !

Ce fut encore dans ces années et toujours pendant les vacances qu'il sauva quelques merles tombés du nid, des geais et des pies qu'il gava de cerises, de sauterelles, de grillons et de fromage blanc. Si tous les oiseaux ne survécurent point (certains étaient trop jeunes ou trop anémiés pour être sauvés), ce fut toujours avec amour qu'il les recueillit et les soigna.

Mais, aujourd'hui, l'affaire était d'une autre ampleur ; une buse possède d'autres armes qu'un jeune merle, voire qu'une corneille immature ! Et la buse était là, devant lui, presque couchée sur le dos, ailes entrouvertes, pattes tendues, serres prêtes à frapper…

— Buse variable, *Buteo buteo* en latin, murmura-t-il pour se donner du courage et tout en enlevant sa chemise.

C'était la seule solution, le seul moyen d'immobiliser l'animal, de le saisir derrière les ailes et de l'emporter jusqu'à la maison sans trop de risques. Avec prudence, son filet improvisé grand ouvert devant lui, il s'approcha de l'orpheline qui sifflait maintenant comme une vipère prête à frapper et dont les griffes lacérèrent le tissu dès qu'il fut à sa portée. Mais c'était trop tard, elle était prise, aveuglée, et déjà une main enserrait ses ailes tandis que l'autre enveloppait tout son corps de la chemise maintenant en lambeaux et l'immobilisait.

Plus fier que s'il avait accumulé tous les premiers prix – dont celui d'excellence ! – décernés une semaine plus tôt (ce qui était loin d'être le cas…), il revint chez lui aussi vite que le lui permettait sa charge. La buse était de plus en plus furieuse et cherchait toujours, à grands coups de bec, à se débarrasser de la poigne qui la retenait.

Sitôt libérée dans la petite et sommaire volière qu'il avait fabriquée quelques années plus tôt dans un coin du jardin, Farouche justifia son nom, elle fit face, dos contre le grillage et serres grandes ouvertes.

— Eh ben, ça va pas être facile, dit-il en léchant le sang qui perlait de sa main gauche, zébrée d'un preste coup de bec.

Il était pourtant indispensable qu'il abreuve l'animal et le nourrisse au plus vite, car vu la température déjà élevée, un jeûne prolongé allait lui être fatal et, pour Dominique, c'était la faillite, le désastre.

S'il trouva rapidement le système qui lui permit d'étancher la soif de Farouche, il n'en alla pas de même en ce qui concerna sa nourriture. Car s'il était assez facile d'abreuver l'animal grâce à une éponge imbibée d'eau et fixée au bout d'un bâton, il était moins simple de lui faire ingurgiter des aliments solides ; Farouche avait une fâcheuse propension à confondre les doigts de son sauveur avec les proies proposées ! Quant à elles, il n'était pas évident non plus de trouver, plusieurs fois par jour, une quantité suffisante de mulots, souris, taupes, grillons et sauterelles et même – horreur ! –

tripes de volaille et de lapin demandées aux voisins lors des exécutions, pour apaiser l'insatiable appétit du rapace.

Mais s'il dut, chaque jour, passer des heures à la recherche de nourriture pour sa protégée, jamais il ne le regretta. Bien au contraire car si, pendant les premiers jours, ses rapports avec Farouche furent souvent douloureux – ses mains et ses avant-bras en témoignaient ! –, sa joie fut immense lorsqu'il observa que la jeune buse devenait peu à peu moins vindicative, moins sauvage.

Il sut qu'elle acceptait de devenir son amie lorsque, une quinzaine de jours après son sauvetage, elle répondit enfin à son appel. Il avait pris l'habitude, dès les premiers jours, d'annoncer sa venue – donc un repas – en modulant un plaintif sifflement, un cri un peu comparable à celui que lancent les buses adultes lorsqu'elles appellent les jeunes en tournoyant inlassablement dans l'azur.

Jusque-là, Farouche ne lui avait répondu que par des chuintements rageurs, menaçants. Et puis, enfin, en ce matin de juillet et alors qu'il lui apportait, sublime festin, une nichée de campagnols, gras à lard, trouvée dans une meule de blé. Farouche lui répondit pour la première fois. Mieux, quittant le coin de la volière, elle sautilla dans sa direction dès qu'elle le vit.

— Eh bien, voilà, je t'avais bien dit qu'on deviendrait amis, murmura-t-il en lui tendant, tenu par le bout de la queue, un jeune rongeur qu'elle goba aussitôt.

Tout changea dès ce jour. Et la fierté de Dominique et son bonheur furent immenses lorsque, complètement apprivoisée, Farouche daigna se poser sur son poignet prudemment protégé des griffes par un morceau de vieille bâche.

Cet été-là, nombre de voisins n'en crurent pas leurs yeux en apercevant Dominique autour duquel voletait maintenant une magnifique buse qui, à son appel, venait aussitôt se poser sur son poing fermé.

Tout a une fin, surtout les vacances et les bons moments. Déjà, depuis début septembre, Dominique savait que l'heure de la séparation était proche, qu'il fallait que Farouche et lui s'y préparent, pour la rendre moins dure, moins pénible, sereine si possible.

Alors, chaque jour, il s'obligea à ne plus rappeler son amie lorsque, quittant son bras, elle s'élevait au-dessus de lui en de grands cercles majestueux. Malgré cela, dès qu'il tentait de s'éloigner, l'oiseau le rejoignait et venait s'accrocher à son bras.

— Écoute, Farouche, il faut pourtant bien qu'on se sépare, dit-il deux jours avant la fin des vacances. Je ne peux pas t'emmener à Paris ! Qu'est-ce que tu ferais là-bas ! Et puis, toi au moins, tu as la chance de pouvoir rester ici, libre, alors profites-en…

Ce fut par la ruse qu'il trancha leurs liens. Ce matin-là, comme tous les précédents, ils partirent à travers champs et bois, heureux d'être ensemble et tellement complices et amis. Ils s'aventurèrent beaucoup plus loin que d'habitude et atteignirent une croisée de sentiers où ils n'étaient encore jamais allés.

Dominique était venu là à la nuit, la veille, et avait caché son vélo sous les broussailles ; Farouche ne l'avait jamais vu sur cet engin, aussi savait-il qu'elle ne reconnaîtrait pas sa silhouette et ne le rejoindrait pas.

— Salut, ma belle, dit-il en lui caressant une dernière fois le dos. Et bon vent surtout ! ajouta-t-il en la lançant vers le ciel.

Il attendit qu'elle prenne un peu d'altitude, sauta sur sa bicyclette et s'enfuit à toute allure ; il eut l'honnêteté de reconnaître que la vitesse et le vent n'étaient pas les seuls responsables des larmes qui brouillaient un peu sa vue…

Depuis cette séparation, lorsque Dominique voit une buse tournoyant dans le ciel et sifflant, il ne manque jamais de se dire qu'elle est peut-être une lointaine descendante de Farouche, son amour d'un été.

MÉMOIRE D'UN AUTRE TEMPS

Un drôle d'oiseau

Il n'est pas donné à tout le monde de naître un 31 décembre vers les coups de minuit, alors que la température extérieure oscille entre moins dix-huit et moins vingt et que celle de la chambre, où geint la parturiente, atteint à peine les six degrés ! Un froid qui, depuis plus de deux semaines, a gelé l'épaisse couche de neige que la nouvelle lune a apportée, une neige désormais aussi dure et coupante qu'un bloc de granit.

Mais, froid ou pas, le septième enfant que portait Ernestine Leplanchou était à terme et tout laissait supposer que, dans sa hâte de venir au monde, il ne laisserait même pas le temps à la vieille Octavine, l'accoucheuse de la région, d'arriver avant ses premiers cris.

Ernestine avait été prise par les douleurs, moins de trois heures plus tôt, alors qu'elle finissait de plumer la sixième oie que lui avait commandée, comme tous les ans, la femme du notaire de Lachabanne.

Alors, en habituée des naissances, après avoir fermé le grand sac dans lequel elle conservait les plumes de toutes les volailles exécutées dans l'année – l'ensemble faisait d'excellents édredons –, elle avait expédié le futur père à la recherche de la matrone. Non qu'elle appréhendât un accouchement plus difficile que les précédents, aucun n'avait posé de problème, mais parce qu'elle savait que son homme détestait assister à cette logique conclusion de leurs fructueux ébats du mois de mars. Car autant il avait su, de belles façons, célébrer l'arrivée du printemps, autant le rebutait l'idée d'avoir à aider sa femme à mettre au monde le fruit de ses assauts. De plus, Ernestine savait surtout qu'il redoutait d'avoir à accueillir une septième fille !

Non point qu'il ait à se plaindre des précédentes. Les quatre aînées – quinze, quatorze, douze et onze ans – étaient déjà placées et si leur travail ne rapportait au foyer que quelques sous par an, du moins étaient-elles logées et nourries par leurs employeurs. Quant aux deux dernières – huit et cinq ans –, elles étaient gentilles, pleines de bonne volonté et rendaient déjà service en allant garder les deux vaches et les six brebis composant le cheptel de la famille Leplanchou.

Malgré cela, six filles, c'était vraiment beaucoup et Ernestine savait que son époux craignait de la voir mettre au monde une septième petiote.

Quant à elle, ce qui l'inquiétait, surtout si le ciel s'entêtait une fois encore à les priver de l'héritier qu'ils attendaient, c'était la nouvelle grossesse que son homme n'aurait de cesse de mettre en route dans le seul but d'avoir enfin ce fils attendu depuis quinze ans. Depuis que le curé Sornac, de la paroisse de Lachabanne, après avoir fait les gros yeux à la petite Ernestine et à Jules, car ils avaient manifestement fêté Pâques avant Carême, les avait mariés tout en maugréant qu'il ne s'en fallait que d'une semaine ou deux pour qu'il ait pu, en prime, célébrer le baptême !

— Et toi, grand goujat ! Grand maladroit ! Tu ne pouvais pas te retenir un peu, non ? T'as pas honte ? avait-il lancé à Jules.

Non, elle n'étouffait pas le futur père ! Celui-ci venait d'avoir vingt-six ans et, au retour de ses cinq ans de conscription, avait hérité de son père leur ferme de quatre hectares.

C'était au lieu-dit Peuchnègre, un hameau sis à trois kilomètres de gros bourg de Lachabanne, en ce coin de Corrèze si proche voisin des causses du Lot qu'il est impossible de dire si les chênes rabougris qui y poussent et les cailloux qui jonchent les terres sont limousins ou quercinois.

Quant à Ernestine – seize ans –, elle était la cinquième d'une famille de métayers qui s'échinait à cultiver six mauvais hectares de piètres terres, proches de celles dont avait hérité Jules. Jules qui, lui, était un propriétaire, donc d'un rang très supérieur à celui des domestiques et des petits métayers. Comme, de surcroît, il était bel homme, qu'il avait des mains exploratrices et caressantes, un sourire enjôleur sous sa moustache rousse, des propositions très convaincantes et qu'il cherchait femme pour tenir sa maison, c'est sans aucun remords que la petite et très gracieuse Ernestine s'était laissé cueillir. Parce que l'un comme l'autre avaient jugé l'expérience tout à fait réussie, ils avaient maintes et maintes fois récidivé et ainsi vite mis en route l'arrivée de leur première fille. Et depuis…

Depuis, il en était venu cinq autres et ça faisait quand même beaucoup. Alors si le sort avait décidé que le bébé qui était en train de se frayer un passage vers le monde était encore une bambine, Ernestine avait pris sa décision. Cette petite serait la dernière et, dût-elle lui donner le sein jusqu'à l'âge de trois ans, voire plus, limitant ainsi les risques d'une nouvelle grossesse, elle s'y astreindrait ! Quant à Jules, il faudrait bien que, de son côté, il se décide à semer ailleurs qu'en ce terrain trop fertile qu'étaient les flancs de son épouse. Et sans aller jusqu'à l'encourager à aller chercher satisfaction hors du lit conjugal, du moins allait-il falloir le décider à semer au vent, que cela lui plaise ou non ! Faute de quoi, elle en était certaine, il n'aurait de cesse de la remettre enceinte, histoire de vérifier si, cette fois-là, ce serait encore d'une fille ! Et là, elle n'était plus du tout d'accord car, à ce rythme, et vu son âge – trente et un ans –, elle était bonne pour se retrouver un jour à la tête d'une douzaine de filles !

Quoique, pour cette nouvelle naissance, en cette glaciale nuit de cette fin d'année 1876, elle avait une sorte de pressentiment. Un espoir auquel elle ne voulait trop croire par crainte d'être terriblement déçue si elle s'y accrochait. Mais depuis qu'elle se savait enceinte, rien ne se passait comme pour les autres grossesses. D'abord, dès que le bébé avait commencé à bouger, cinq mois plus tôt, il l'avait fait d'une façon différente ; ses coups de pied, ou de poing, tous ses mouvements, ne ressemblaient pas à ceux que ses sœurs lui avaient, elles aussi, généreusement distribués. De plus, mais peut-être s'illusionnait-elle, l'enfant, en elle, ne semblait pas placé de la même façon que les fois précédentes. Enfin, même si elle n'en avait pour ainsi dire pas tenu compte – ses tâches et son travail journalier ne le permettaient pas –, elle avait été beaucoup plus fatiguée – malade parfois même – que pour les autres fois. Mais tout cela n'était peut-être qu'illusion et mieux valait donc s'attendre à voir apparaître, sous peu, une septième petite Leplanchou.

En attendant, il faisait de plus en plus froid, Jules et la mère Octavine n'étaient toujours pas de retour et le bébé semblait maintenant tout faire pour venir au plus vite aspirer sa première bouffée d'air.

« Je ne vais quand même pas réveiller Gertrude, c'est pas un spectacle pour elle ! » pensa Ernestine entre deux douloureuses contractions.

Gertrude était leur cinquième fille et, pour son âge – huit ans –, déjà très au courant sur la façon et par où naissaient les agneaux, les veaux, les chiots et les chatons. Mais ce n'était pas une raison pour lui demander d'assister sa mère pour cet accouchement qui, de toute évidence maintenant, serait terminé lorsqu'arriverait la mère Octavine, flanquée de Jules.

« Et pourtant, il faut absolument mettre quelques bûches dans le foyer. Le feu va bientôt s'éteindre, je vais geler et le bébé aussi... », pensa Ernestine.

Et parce que le vent s'était remis à souffler, que le froid devenait de plus en plus mordant, elle se leva et, tout en se tenant le ventre, tituba jusqu'à la grande cheminée qu'elle rechargea de trois noueuses bûches de chêne.

Avant même de pousser la porte, Jules et la mère Octavine comprirent que l'accouchement était terminé ; les cris du bébé étaient tellement puissants qu'ils s'entendaient du milieu de la cour. Et, leur faisant écho, histoire de célébrer l'événement et la nouvelle année, leur répondaient les aboiements que Finette, la chienne de garde, adressait à la lune.

— Qu'est-ce que c'est que cette histoire ! Tu m'as fait déplacer pour rien ! Et si encore c'était pour un bon réveillon ! grommela la mère Octavine.

Elle était de méchante humeur car elle n'appréciait pas du tout d'avoir dû quitter une sympathique veillée chez ses voisins pour venir mettre au monde, en pleine nuit et par un froid à geler le sang, celle qui, sans l'ombre d'un doute, serait la septième fille Leplanchou ! Même son ânesse, que Jules avait prestement attelée à la carriole, avait marqué son mécontentement en feignant une boiterie de l'antérieur droit ; elle avait donc obstinément refusé de prendre le trot. C'était une vieille ruse de cette maudite bourrique qui, elle aussi, détestait le froid et cette gelée qui lui brûlait les paturons.

Par représailles, elle s'était lamentablement traînée tout au long du chemin. Et, pour se venger d'avoir dû quitter sa chaude litière de fougère, elle avait zigzagué çà et là en passant exprès sous toutes les basses branches, chargées de neige, de façon à la faire chuter sur ses deux passagers qui n'avaient nul besoin de ces douches pour être déjà tout grelottants.

— Entrez vite, dit Jules en aidant la mère Octavine à descendre de la charrette. J'espère surtout que le feu a tenu..., ajouta-t-il en poussant la porte.

— Ranime-le et fais chauffer de l'eau ! ordonna la matrone en entrant dans la chambre où palpitait une maigre chandelle. Oui, c'était prévu, j'arrive après le plus fort de la bataille ; enfin, il va quand même falloir que je m'occupe de sa mère et que je nettoie cette petite gueularde !

— Mais où est-elle, nom de Dieu ? lança Jules après s'être penché vers le berceau et avoir constaté qu'il était vide.

Pourtant, les cris rageurs du bébé qui lui vrillaient les oreilles et le sourire fatigué de sa femme prouvaient que tout s'était bien passé.

— Où est-elle cachée, cette garce ? demanda à son tour la mère Octavine.

— Là, contre moi, souffla Ernestine en tapotant le gros sac bourré de toutes les plumes amassées au cours de l'année.

— Ah ! Ça par exemple ! En voilà un drôle d'oiseau ! T'as couvé un œuf, ou quoi ? s'exclama la mère Octavine en entrebâillant le sac de jute et en découvrant l'enfant.

Il était là, au milieu des plumes dont il était couvert des pieds à la tête, habillé de tout ce duvet collé à sa peau gluante de nouveau-né non encore nettoyé.

— Il fait si froid..., expliqua Ernestine, alors j'ai pensé qu'il serait bien au chaud dans toutes ces plumes...

— Il ? murmura Jules qui n'osait pas demander si ce masculin s'appliquait au bébé en général ou... ou à ce fils qu'il espérait depuis quinze ans.

— Oui, il ! approuva Ernestine, cette fois, je te l'ai fait, ton petit...

— Ah ! Ça, pour sûr ! renchérit Octavine en attrapant l'enfant par les pieds et en l'extrayant du lit de plumes. Regarde-moi ce beau merle ! Ce beau perdreau ! L'est plus dru qu'un pouillard, lança-t-elle à Jules. Regarde-moi ce joli canard ! L'est pas fendu comme ses sœurs, lui, c'est un vrai mâle ! Et il a tout ce qu'il faut pour contenter un jour toutes les filles du canton, et leurs mères en prime, si elles en veulent !

— Un garçon ! Un garçon ! balbutia Jules. Ah ben ça alors ! Un garçon ! dit-il en s'asseyant au bord du lit, jambes coupées par l'émotion.

— Eh ! C'est pas le moment de s'endormir ! lui lança Octavine qui, déjà, enlevait par poignées les plumes collées au bébé de plus en plus furieux et qui hurlait à pleins poumons. Fais chauffer de l'eau, tout de suite ! insista-t-elle.

— Il faut d'abord que je me serve un coup de gnôle, ça me remettra, dit Jules, toujours assommé par la révélation.

Un fils ! Il avait enfin un fils !

— Tu parles de gnôle ? Sers-m'en donc un petit coup à moi aussi, dit la mère Octavine, ça me réchauffera. Et puis, avant de le baigner, j'en frictionnerai un peu ce poulet, par ce froid, ça ne peut pas lui faire de mal, au contraire. Mais, bon Dieu, Jules, remue-toi un peu ! Même emplumé comme il l'est encore, ton gars va finir par me prendre froid ! Quant à la mère, faut que je la délivre ! Alors active ce feu, fais une belle flambée ! Et profites-en pour faire chauffer du lait pour ta femme ! Bouge-toi, quoi ! Vrai, tu es aussi empoté qu'un jeune père à sa première naissance ! Mais, bon sang, j'ai mis au monde bien des gamins, mais des gueulards pareils, jamais ! poursuivit elle tout en plumant le nouveau-né dont les braillements couvraient maintenant les aboiements de la chienne, de plus en plus excitée par ces cris inconnus qui répondaient à ses propres jappements.

— Et comment tu vas l'appeler, ce jeune coq ? demanda plus tard la mère Octavine en avalant bruyamment le bol de soupe brûlante que venait de lui servir Jules.

— Théodule ! Il s'appellera Théodule, comme mon pauvre père. Et comme tous les fils aînés Leplanchou. Comme mon pauvre frère aussi, celui qui est parti de la poitrine quand j'avais dix ans et lui douze. Oui, Théodule, puisque lui, c'est désormais l'aîné des Leplanchou, dit Jules en se penchant vers le bébé.

Celui-ci était maintenant propre, lavé, calmé et il reposait bien au chaud entre les seins de sa mère qui, maintenant délivrée, somnolait un peu.

— Il est déjà aussi roux que toi, murmura-t-elle en caressant la tête du poupon, regarde-moi cette tignasse, on dirait une lune d'avril !

— Oui, il est beau, et costaud, approuva Octavine en enlevant un dernier duvet d'oie encore collé dans les cheveux. Et il sera solide, doit déjà faire pas loin de ses quatre livres !

— Plus ! assura Jules, histoire de bien marquer que son fils était, de loin et en tout, le plus beau, le plus fort.

— Bon, va me falloir penser à rentrer, dit la mère Octavine en se levant et en serrant sa lourde cape autour de ses épaules.

— Je vais vous raccompagner, dit Jules en enfilant sa veste. Votre bourrique a grand besoin d'une poigne d'homme et de quelques coups de trique pour la faire avancer. Parce que telle que je l'ai vue tout à l'heure, elle m'a bien l'air capable de vous laisser geler entre ici et Lachabanne ! Et je veux que vous rentriez là-bas au plus vite, pour dire à tous que j'ai un fils.

— Avant de partir, va réveiller les deux petites, dit Ernestine, maintenant, elles peuvent venir, il faut qu'elles fassent connaissance avec leur petit frère. Et puis elles entretiendront le feu en ton absence. Allez, va leur dire qu'elles ont un petit frère.

— Un petit frère ! modula Jules, ravi. Un petit frère, redit-il avec gourmandise, comme pour mieux déguster ces mots qu'il n'avait pu prononcer jusque-là : Théodule Leplanchou, leur petit frère, mon fils !

Habitué à n'avoir qu'à froncer les sourcils pour voir aussitôt ses filles lui obéir, et sans piper mot, Jules Leplanchou fut très étonné quand il comprit que cette mimique, pour lourde de menaces qu'elle lui semblât, n'impressionnait pas du tout son fils.

Il est vrai que celui-ci, dès qu'il sut marcher – il commença à trottiner à neuf mois –, n'eut de cesse de prospecter le monde et d'expérimenter toutes les bêtises et autres expériences qui lui passaient par la tête. Elles étaient innombrables et, bien que, sitôt découvertes, elles fussent sanctionnées par la ceinture paternelle qui cinglait les fesses et les jambes du coupable, leur nombre et leur répétition ne cessèrent de croître au fil des ans.

Ainsi, tout en attendant la raclée qui allait suivre, Théodule ouvrit un jour le clapier, histoire de permettre aux cinq lapines et à leur progéniture de goûter quelques heures de liberté en s'égaillant dans la cour et dans le tas de bûches et de fagots. Et la course à laquelle durent se livrer ses parents pour rattraper les fugitifs le fit pleurer de rire, en attendant mieux...

Une autre fois, toujours avide d'expérimentations et de découvertes, il lança deux poules au milieu de la mare, juste pour vérifier si elles nageaient aussi bien que les oies et les canards. Comme il apparut vite que ce n'était pas du tout évident, et pour leur venir en aide, il expédia aussi le chat qui, pas plus que la volaille, n'apprécia ce bain forcé.

Quelque temps après, il jugea intéressant d'enfermer ce même chat dans le buffet, d'y introduire ensuite quelques campagnols découverts dans une meule de seigle et d'attendre le résultat. Comme prévu, la si modeste et pauvre vaisselle que sa mère remisait là ne résista pas à la formidable et bruyante poursuite qui s'ensuivit. Et si la raclée paternelle attendue ne tarda guère, elle n'en convainquit pas pour autant le fautif de la nécessité de modérer enfin ses douteuses initiatives.

Car il n'en manquait pas, le bougre, et des plus infâmes ! Ainsi, sans aucun respect pour la soutane et tout ce qu'elle représentait, il n'hésita pas, un jour de mai, à régler le compte qu'il estimait avoir avec le curé Buffière. Ce dernier, qui avait succédé au vieux curé Sornac et qui voulait avoir toute sa paroisse bien en main, n'avait-il pas eu l'outrecuidance d'estimer, et de dire à qui voulait l'entendre, que seule la pratique assidue des leçons de catéchisme saurait mettre un terme à la condamnable dissipation de l'héritier des Leplanchou ?

Mais pour Théodule, outre les coups de règle sur le bout des doigts administrés par l'abbé, c'était, une fois par semaine, le dimanche avant la messe, les six kilomètres aller-retour qu'il lui fallait parcourir pour aller jusqu'à l'église. Trajet qui ne le rebutait en rien, habitué qu'il était à fréquenter très épisodiquement l'école et surtout à courir les landes et les bois derrière les deux vaches et les six brebis de la famille. Mais, dans cette pastorale occupation, il trouvait au moins matière à se distraire. Et aussi à améliorer l'ordinaire familial en relevant tous les trébuchets, lacets et autres assommoirs dont il parsemait son territoire. Pièges dans lesquels se prenaient les merles, grives et autres perdreaux, sans oublier les lapins et les lièvres assez sots pour passer la tête dans les collets qu'il avait appris à tendre après avoir relevé, avant lui, ceux que le vieux père Duchamp posait çà et là…

En revanche, la fréquentation des leçons d'histoire sainte lui pesait beaucoup, il estimait y perdre son temps. Car, hormis les quelques solides et passionnants combats et massacres auxquels se livraient – à coups de mâchoire d'âne – des héros comme Samson (ça, au moins, c'était un homme !), ou comme le gars (il en avait oublié le nom) qui avait arrêté le soleil pour finir d'étriller ses ennemis, il jugeait le reste d'une grande mièvrerie, pour tout dire des histoires de bonne femme, donc sans intérêt.

Le seul point concret de cet enseignement religieux était de lui avoir donné l'idée de se fabriquer une fronde. Il avait appris l'existence de cette arme grâce au combat de David contre Goliath et n'avait eu de cesse, après moult essais infructueux, beaucoup d'entraînement et d'échecs, d'acquérir à son tour une adresse assez redoutable ; merles et grives en brochettes pouvaient en témoigner.

Mais cette découverte ne suffisait pas pour qu'il pardonne au curé Buffière d'avoir souvent proclamé et de persister à dire que, vu son attirance pour le mal, son étonnante et quasi diabolique endurance aux coups de règle et autres corrections, le jeune Théodule Leplanchou – il avait alors neuf ans – finirait en enfer !

Il y avait une très méchante prédiction qui appelait de sévères représailles. D'ailleurs, à tant faire que de rôtir dans les flammes éternelles, autant que ce soit après avoir bien ri !

L'occasion se présenta lors de la visite annuelle que faisait le curé dans chaque ferme de sa paroisse. Aucune n'était oubliée car même les plus mécréantes de ses ouailles tenaient à cette pratique qui, à la belle saison et au temps des rogations, voyait arriver le prêtre – et deux enfants de chœur – pour bénir les étables et le cheptel. Grâce à cette prière, accompagnée de généreuses aspersions d'eau bénite, les maladies et autres catastrophes s'éloignaient des étables visitées.

Pour Théodule, l'occasion était trop belle de régler ses comptes. Aussi, pendant que l'abbé Buffière officiait dans l'étable, sous l'œil respectueux des parents Leplanchou et le regard blasé des enfants de chœur – eux, ils n'attendaient que le verre de piquette que ne manquaient jamais d'offrir les paroissiens –, Théodule s'éclipsa quelques minutes et courut jusqu'à l'attelage du curé Buffière.

C'était une charrette et un âne que lui prêtait volontiers le père Martin, un riche propriétaire qui cultivait une trentaine d'hectares sur lesquels croissaient plusieurs chênes truffiers. Un homme très pieux, au dire du curé et de quelques bigotes, opinion que ne partageaient pas du tout ceux qui avaient travaillé sous ses ordres et surtout les jeunes servantes embauchées à douze ans pour mieux les débaucher à quatorze ! Mais ça, c'était une autre histoire à laquelle Théodule ne comprenait pas encore grand-chose.

Lui, ce qu'il savait, c'était que le curé Buffière, les enfants de chœur et ses parents étaient occupés dans l'étable et qu'il disposait donc de quelques instants pour mener son plan à bien. À savoir desserrer les traits, la sous-ventrière et le porte-brancard harnachant l'âne à la carriole. Sabotage qui, si tout se passait comme prévu, laisserait l'attelage parcourir sans encombre les quelque cent mètres qui séparaient la cour de ferme de la rude côte qui grimpait vers le puy Lagardelle ; après quoi Théodule ne répondait plus de rien, mais espérait beaucoup !

Et ce qui devait arriver arriva, les sangles desserrées permirent juste à l'attelage d'atteindre la première pente. Après quoi, la charrette, déséquilibrée par le poids de ses occupants, se détacha brusquement et bascula vers l'arrière, brancard à la verticale. Elle roula pendant une quinzaine de mètres, accompagnée par les hurlements du curé et des enfants de chœur cramponnés aux ridelles, puis se renversa dans le fossé pendant que l'âne libéré, apeuré par les cris, prenait le galop en direction de la ferme de son propriétaire.

S'il n'eût point éclaté de rire à s'en étouffer, peut-être que Théodule eût échappé à la raclée qu'il reçut peu après. Mais comme ce n'était ni la première ni la dernière, il s'empressa de l'oublier tout en se préparant à la suivante immanquablement commentée par son père par des :

— Ce gosse a le diable dans la peau ! Il ne sait pas quoi inventer pour me rendre fou ! Mais, miladiou de miladiou, je lui tannerai le cuir aussi souvent qu'il faudra ! Et ce ne sera pas faute de l'avoir corrigé s'il finit un jour au bagne ! Ou sur l'échafaud ! grondait Jules chaque fois qu'Ernestine lui rendait compte de quelque nouveau tour de son rejeton.

Heureusement pour lui, elle en cachait beaucoup car les stries que faisait la ceinture sur les mollets du coupable n'auraient jamais eu le temps de s'estomper, régénérées presque chaque jour par de nouvelles et toujours justifiées cinglantes corrections.

Cela étant, qu'elles fussent hebdomadaires ou bimensuelles, exécutées à coups de taloche ou de ceinture, elles ne dégoûtaient en rien Théodule et ne l'empêchaient pas de concocter quelques autres farces encore plus excitantes et pendables que les précédentes !

— Et maintenant, crois-moi, je te promets que tu vas filer doux ! Le père Martin veut bien te prendre comme berger, tu seras nourri et logé et, si tout va bien, peut-être que tu auras une pièce en fin d'année. Mais surtout, ne va pas me faire honte ! Et qu'il ne me revienne jamais aux oreilles que le père Martin a eu à se plaindre de toi ! Alors fini les âneries et au travail ! prévint Jules pendant qu'Ernestine, tout en cachant son chagrin, préparait le petit baluchon contenant les misérables effets qu'emporterait son fils. Tu m'as bien compris ? Pas de bêtises, hein ? gronda Jules en forçant la voix pour dissimuler sa peine car, pour lui aussi, le départ de Théodule annonçait une maison vide d'enfant et surtout de ce fils qui, malgré ses innombrables sottises – et sans doute à cause d'elles –, mettait une juvénile animation dans la maison.

Mais Théodule avait maintenant douze ans et il eût été malséant de ne pas le mettre au travail. Au vrai travail, celui qu'allait lui donner la garde du troupeau du père Martin : quarante brebis de race caussenarde, un âne et cinq vaches, dont deux de trait. C'était là une solide occupation qui n'avait rien de commun avec la facile et reposante surveillance de la demi-douzaine de brebis et des deux vaches des Leplanchou.

Enfin, puisque Théodule hériterait un jour de leur petite ferme, Jules estimait que le contact avec une grande et moderne exploitation lui serait très profitable. Outre le cheptel important dont Théodule allait avoir la charge, le père Martin possédait aussi des outils d'avant-garde. Entre autres une vraie charrue de Dombasle ; un magnifique engin comparé auquel le vieil araire familial faisait piètre figure et de minables labours.

De plus, il se disait, si toutefois sa récolte de truffes était aussi bonne que celles des années précédentes, qu'il était dans l'idée du père Martin d'acquérir une faucheuse mécanique ; matériel quasi mythique puisqu'il se chuchotait qu'il effectuait à lui seul le travail de plus d'une demi douzaine de bons faucheurs ! Bref, Jules ne doutait pas que son fils, mis au contact de l'agriculture moderne, saurait un jour tirer profit de tout ce qu'elle allait lui apprendre.

Le premier contact entre Théodule et les Martin fut désastreux ; non à cause de l'agriculture mais parce qu'une antipathie quasi instantanée s'instaura entre lui et Gaston. Fils unique de la famille, Gaston était un grand flandrin boutonneux, d'une quinzaine d'années, au regard fourbe qui, dès le premier repas, déclara en ricanant qu'il détestait les rouquins…

— Ils puent tous comme des renards malades ! Et il paraît qu'ils sont encore plus feignants que des couleuvres ! jeta-t-il tout en lapant sa soupe.

— Tais-toi ! lui lança son père. Rouquin, c'est sûr que Théodule peut pas le cacher, mais qu'il soit feignant, faut voir et ça se saura vite ! En attendant, dès cet après-midi tu lui feras faire le tour des terres et des pacages. Je ne veux pas qu'il me conduise les bêtes n'importe où ! Et toi, ajouta-t-il en s'adressant à Jeantou, un autre adolescent aussi muet que Théodule, pour ta dernière journée ici et tout en gardant les bêtes, tu expliqueras tout au nouveau ; fais-lui compter les brebis et les agneaux, bref, apprends-lui tout ce qu'il doit savoir. Et surtout, n'oublie pas de lui parler de Pompon…

Et parce que Gaston faillit s'étrangler de rire avec une gorgée de soupe, Théodule devina qu'il y avait là quelque entourloupe dont il devait se méfier. De plus, maintenant bien installés dans un coin de sa mémoire, lui revenaient les propos de Gaston. Celui-ci, un jour, saurait qu'il n'était pas prudent de se moquer d'un rouquin, surtout quand il s'appelait Théodule Leplanchou…

— Et comment c'est, ici ? demanda Théodule lorsqu'il fut enfin seul avec Jeantou.

— Bah ! Comme partout où il y a des patrons qui te plaignent davantage la soupe que les coups de pied au cul ! Mais moi, ce soir, je m'en vais. Et je les regretterai pas, tous, surtout ce salaud de Gaston ! Méfie-toi de lui, l'est plus pourri qu'une rave en fin d'hiver !

— Et tu vas où ?

— Apprenti, chez maître Feix, le charpentier de Lachabanne. L'est temps que je gagne enfin un peu plus que ma soupe, dame, je vais sur mes quinze ans, j'ai plus l'âge d'être berger !

— Et la patronne, elle est comment ? demanda Théodule qui, prudent, voulait tout savoir.

— La patronne ? T'as bien vu, elle dit pas grand-chose, la vieille, mais faut pas s'y fier. C'est quand même elle qui a décidé, l'an dernier, qu'il n'y aurait plus de gamines sur la ferme. Ouais, les petiotes que le père Martin regardait d'un peu trop près... Enfin quand je dis regardait... Eh bien un jour, la patronne a dit « C'est fini ! » quand elle s'est aperçue que son grand balandard de Gaston voulait s'y essayer, lui aussi ; ce vilain bouc pensait plus qu'à les coincer dans le foin... Elle a pris peur, la vieille, parce que, tabanard comme il l'est, sûr qu'il aurait fini par fabriquer un petit à l'une ou l'autre et ça, ça aurait fait du vilain dans le pays ! Pense un peu, le curé Buffière vient manger chez eux au moins quatre fois l'an, c'est fou ce qu'il est gourmand de truffes, cet homme, et de confit d'oie aussi ! Mais surtout, il a dans l'idée de pousser le père Martin à se présenter aux élections, ouais, pour la mairie. Alors c'est pas le moment de se faire prendre en train de trousser les gamines !

— Je comprends, approuva distraitement Théodule encore peu au fait, ni très passionné par toutes ces histoires d'adultes.

En revanche, lui trottait dans la tête l'avertissement lancé par le patron à propos d'un certain Pompon :

— Et Pompon, c'est qui ? demanda-t-il.

— Lui, là-bas, fit Jeantou avec un coup de menton en direction du troupeau.

— Lui qui ?

— Le bélier...

— Ah ? dit Théodule en observant l'animal.

C'était une grande et solide bête, de race caussenarde, aux lourdes épaules, aux reins larges, au front bossué et aux yeux vifs, cernés de noir ; un bestiau qui devait approcher ses soixante-dix kilos.

— Qu'est-ce qu'il a de particulier ? L'a pas l'air bien méchant, estima Théodule.

— Eh ben, t'y fie pas ! L'est plus vicieux et mauvais qu'un verrat malade ! Le quitte pas de l'œil et lui tourne jamais le dos, jamais ! Ce salaud n'attend que ça pour te charger et t'expédier à dix mètres ! Je le sais, il m'a eu bien souvent quand j'ai commencé ici, il y a trois ans. Et même qu'une fois ce pourri a bien failli me tuer ; il m'avait foutu par terre et il voulait encore m'écraser ! Et pourtant, à l'époque, il était encore jeune, mais en prenant de l'âge l'est devenu encore plus méchant et sournois. Mais faut reconnaître qu'il fait souvent des jumeaux, c'est pour ça que le père Martin le garde. N'empêche, lui tourne jamais le dos et taille-toi une bonne trique, ouais, pour le cogner sur le museau ou les oreilles. Tape pas ailleurs, à cause de la laine il s'en fout, et même ça l'excite…

— Ah bon, dit Théodule qui éprouva aussitôt une vive aversion pour le dénommé Pompon.

Mais un Pompon vicieux et méchant, plus un Gaston qui devait l'être tout autant, ça faisait beaucoup ! Ça demandait aussi réflexion pour en venir à bout…

Théodule sut, trois jours plus tard, que Jeantou n'avait pas exagéré, le bélier était vraiment un sale bestiau, un sournois et, pour tout dire, une pute de bête ! Il s'en méfiait pourtant et ne le perdait pas des yeux lorsqu'il devait faire manœuvrer l'ensemble du troupeau pour le pousser vers les pacages. Mais, en ce troisième matin, tout occupé à courir derrière une brebis et son agneau qu'attirait un carreau de sainfoin, il n'entendit pas arriver Pompon. Le coup de tête qui faillit lui briser les reins et qui l'expédia dans un tas de ronces lui fit comprendre qu'une impitoyable guerre était déclarée entre lui et cette brute bornée qui, déjà, babines frémissantes, se préparait à recharger.

Théodule n'eut que le temps de se relever et de grimper dans un petit chêne tout proche. Et il était heureusement hors de portée du bélier lorsque celui-ci, sur une nouvelle lancée, ébranla le tronc d'un nerveux coup de tête.

« L'est fou, cette bête, l'a bien failli me tuer ! » pensa Théodule en regardant l'animal rejoindre le troupeau, d'une allure paisible et détachée, exactement comme si rien ne s'était passé. « Il ne m'aura plus, ce salaud », se jura Théodule en redescendant de son perchoir.

Malheureusement, malgré sa vigilance, il crut bien sa dernière heure arrivée lorsque, au cours du mois suivant, il fut surpris une bonne dizaine de fois par les imprévisibles attaques du mâle. Des charges qu'il esquivait heureusement souvent mais qui, presque toutes, le contraignaient à s'abriter dans un arbre ou, pire, à plonger dans les buissons d'où il ressortait peu après, les jambes et les bras pleins d'épines.

— Toi, mon salaud, promettait-il alors, tu me le paieras un jour, attends que je trouve la combine et, parole, tu regretteras de m'avoir connu…

— Et comment ça se passe, avec Pompon ? lui demandait souvent le père Martin d'un ton goguenard.

— Ça va, pas de problème, mentait Théodule qui, pour rien au monde, n'aurait avoué ses confrontations quasi journalières avec la brute enlainée.

— Il t'a pas encore chargé ? Ni expédié dans les orties ? insistait Gaston très dépité de ne pouvoir ricaner aux dépens du rouquin.

— Ben non, pourquoi ? Il charge ? L'a pas l'air bien méchant pourtant, assurait Théodule en évitant surtout de se masser le bas du dos, là où, pas plus tard que la veille, l'avait, une fois de plus, frappé le bélier.

— Alors c'est qu'il devient bien vieux, concluait le père Martin.

— Ou bien c'est que les rouquins le dégoûtent, lui aussi, insinuait Gaston. Peut-être que ton odeur de blaireau crevé lui donne envie de s'éloigner ! Et là, je le comprends, bon Dieu, qu'est-ce que tu pues !

— Peut-être, souriait Théodule en se répétant que toutes ces perfides et méchantes réflexions se paieraient un jour…

Au dire de ceux qui connurent Théodule et qui pouvaient parler de lui, voici plus d'un demi siècle, ce fut à cette époque, pendant son séjour chez les Martin, que germa sa vocation d'inventeur. Il n'avait jusque-là bricolé et façonné, en planchettes et tiges de châtaignier, que quelques pièges, du genre assommoir ou trébuchet, et aussi de très efficaces nasses d'osier tressé dans lesquelles s'engouffraient les truites farios qui abondaient dans le petit ruisseau serpentant au fond de la vallée de la Torte, à un bon kilomètre du hameau de Peuchnègre.

Poussé par les événements, en l'occurrence la hargne meurtrière de Pompon, il alla plus en avant dans la fabrication du matériel qui allait lui permettre de régler son compte au grand bélier : cette brute vicieuse qui lui empoisonnait les journées et le faisait cauchemarder presque chaque nuit.

Si je peux évoquer ici cette lointaine période, c'est pour rappeler qu'il fut un temps où, par la magie des veillées, se transmettaient les sagas régionales et, parmi elles, celle de Théodule ; riches et passionnantes histoires qui, comme les très grands crus, s'étaient bonifiées en prenant de l'âge.

Mais il faut dire, à propos de ces temps qui, dès l'hiver venu, rassemblaient les voisins pour de mémorables soirées au coin du feu, que ces dernières ne prenaient tout leur charme que dans la mesure où il se trouvait toujours un conteur pour faire revivre le passé. Certes, au cours de ces nuits d'hiver, les hommes lançaient d'abord de solides parties de belote ou de manille coinchée, pendant que les femmes, assises devant l'âtre ou dans le *cantou,* jambes au ras des flammes, papotaient en sourdine tout en égrenant le maïs ou en épluchant les châtaignes.

Mais ce n'était pas ce qui donnait toute la saveur de ces veillées. En revanche, quand était abattue la dernière carte : « Atout ! Ratatout ! Dix de der et vous êtes capots, les gars ! », que la maîtresse de maison, en vue de l'indispensable médianoche, sortait les rillettes, le pâté de tête, le jambon, les boudins froids et les bouteilles de vin gris, que les hommes se passaient le pot à tabac et le Job non gommé, tous savaient que l'heure était venue d'écouter celui qui, de tous, était le meilleur conteur.

C'était souvent le plus âgé, celui dont la mémoire regorgeait de toutes les anciennes histoires du pays, celles qu'il avait entendues, tout gamin, quelque soixante-cinq ans plus tôt. C'était lui qui, après d'innombrables méandres dans les généalogies, affaires de famille et autres problèmes de bornage entre tels ou telles, vous faisait comprendre pourquoi certains voisins ne se parlaient plus depuis deux générations. Et si venaient s'y ajouter quelques narrations de galants exploits d'un coq de village, connu de tous, se comprenaient soudain mieux les éternelles exécrations que se vouaient certains alliés, ou parents, des dupes ou des héroïnes de ces turpitudes locales…

Mais là n'était pas encore le plus passionnant. En revanche quand était abordé le souvenir de Théodule Leplanchou, l'écoute de tout l'auditoire atteignait son apogée.

Je parle, bien sûr, de ces temps où la télévision n'avait pas rendu aphones les conteurs, ni tué cette mémoire collective qui, de génération en génération, étayait l'histoire du proche pays, lui donnait son entité, son âme, tout ce qui me permet, aujourd'hui, d'évoquer la geste de Théodule Leplanchou.

Pour lui, l'affaire était simple. Puisque ce salaud de bélier prenait plaisir à le charger, il fallait lui en donner l'occasion, le plus souvent possible, jusqu'à ce qu'il en perde le souffle, qu'il s'y épuise. Il fallait le rendre encore plus fou qu'il ne l'était déjà, sans toutefois prendre le risque de recevoir un de ses si violents et douloureux coups de tête.

Germa alors, sous la crinière rousse de Théodule, une idée qui le remplit d'aise et le poussa aussitôt au travail. Un leurre ! Voilà ce qu'il lui fallait créer. Un leurre sur lequel foncerait ce fumier de Pompon !

Grâce à son père qui lui avait appris à fabriquer des paniers en baguettes d'osier et en lattes de châtaignier, Théodule maîtrisait bien l'art de la vannerie ; en témoignaient les nasses qu'il avait construites quand il vivait encore chez ses parents. Aussi fut-ce avec beaucoup d'habileté et non moins de discrétion, car nul ne devait découvrir son travail, qu'il commença à bâtir, à l'aide de baguettes de noisetier et d'osier, ce qui allait lui permettre de se venger de toutes les charges du bélier.

Jour après jour, tout en surveillant le troupeau et en cachant chaque soir son travail dans les hautes branches d'un chêne, il fabriqua une sorte de mannequin ; un assemblage à peu près de sa taille et de sa corpulence ; une espèce de doublure à qui il ne manquait plus qu'une paire de pantalons, une chemise et un béret pour exciter la hargne du mouton. Et c'était là qu'était maintenant le problème car Théodule ne possédait que les vêtements, déjà maintes fois ravaudés et usés jusqu'à la trame, qu'il portait chaque jour. Malgré cela, parce que cet après-midi d'août était chaud comme un four à pain et après s'être assuré que nul ne pouvait le voir (les risques étaient infimes car tout le monde faisait la sieste), il se dévêtit.

Cela fait, il enfila ses hardes sur le mannequin d'osier et, nu comme un ver, grimpa dans le chêne dans les branches duquel montait la ficelle qui allait lui permettre d'animer son double…

Vint alors le moment tant attendu, les délicieux instants pendant lesquels, à califourchon au milieu d'une branche, à deux mètres du sol, il put, en toute impunité, insulter le grand bélier ; et surtout exciter son ire en faisant danser sa marionnette au bout de la cordelette. Merveilleux moments qui lui faisaient même oublier à quel point la rude écorce de la branche qu'il enserrait à pleines cuisses labourait ses fesses nues !

Mais qu'importait cette cuisante douleur puisque là-bas, tête au ras des caillasses, babines frémissantes, Pompon préparait sa charge en grattant le sol d'un sabot rageur… Et soudain il fonça, droit sur le leurre, lequel, comme par enchantement, s'envola sous son nez, disparut, pour mieux revenir vers le sol, le narguer de nouveau et l'inviter ainsi à une nouvelle charge tout aussi vaine !

— Alors, mon salaud, tu sors la langue maintenant, hein ? triompha Théodule après dix minutes de manège.

Et il était bien vrai que, sous lui, le bélier, haletant comme un soufflet de forge et langue pendante, semblait vaincu. Malgré cela, Théodule dut prestement tirer sur la ficelle pour éviter que son ennemi, en une nouvelle et imprévisible charge, ne pulvérise l'insaisissable mannequin.

— Tu t'en lasseras avant moi, prévint Théodule en agitant son appât.

Peine perdue, non seulement le bélier ne désarma pas, malgré sa fatigue, mais le soir même, à l'heure du retour vers la ferme, il faillit culbuter Théodule pendant que celui-ci se rhabillait !

— Espèce de pourriture ! Fumier de cochon ! Si tu veux le prendre comme ça, t'as pas fini d'en voir ! Sûr que tu te fatigueras avant moi ! promit Théodule.

La confrontation dura deux jours, trois jours, une semaine. Mais plus le temps passait, plus le bélier devenait vindicatif, furieux ; et ses attaques étaient de plus en plus fréquentes et redoutables. Il était urgent d'en finir.

— Je t'ai pourtant prévenu, murmura Théodule en ce début d'après-midi.

Il faisait si chaud et étouffant que seules les cigales semblaient capables de quelque effort et leur chant crissait dans tout le pays, se donnait la réplique pendant que là-bas, sous l'ombre bleutée des chênes, somnolaient les brebis du père Martin. Même le bélier, couché sous un gros genévrier, haletait doucement en remuant sans cesse les oreilles pour chasser les mouches qui bourdonnaient autour de sa tête. Mais il fut soudain sur pied lorsqu'il vit, à trente pas de lui, la silhouette abhorrée qui le narguait, tressautait, dansait, tandis que Théodule lançait force insultes.

Le mâle démarra en trombe, fonça sur l'ennemi. Mais ce jour-là, au lieu de relever son mannequin, Théodule le sacrifia, le laissa là où il le savait efficace, bien plaqué contre le tronc noueux du chêne centenaire. Un de ces chênes du Causse, dont le bois est de fer, tant il a mis d'années à s'élaborer ; un bois beaucoup trop dur pour un crâne, fût-il celui d'un bélier fou.

Le choc ébranla le tronc jusqu'à la cime, tandis qu'un bref râle, tremblant et douloureux, fusait de la gorge de l'animal, son ultime bêlement…

— Je t'avais bien dit que je te dresserais, salopard ! constata Théodule après quelques prudentes secondes d'observation.

Puis il dégringola de son perchoir, regarda sa victime qui, sous le choc, avait reculé de plus d'un mètre. Et le filet sanglant qui lui coulait des naseaux prouvait que, désormais, plus personne n'aurait à craindre ses colères.

Mais, pour Théodule, il fallait faire vite. Il se rhabilla à la hâte et partit en courant vers la ferme tout en jetant çà et là les restes pulvérisés du mannequin ; bien malin qui pourrait deviner que ces quelques branchettes avaient été les dernières victimes du bélier.

— Une vipère ! Une vipère ! hurla Théodule en se précipitant dans la maison.

Et il semblait si effrayé, si bouleversé que nul n'aurait pu le soupçonner de forcer le ton.

— T'es fou ou quoi ? gronda le père Martin qui venait juste de se relever de sa sieste et dont la chemise était encore ouverte sur son torse velu.

— Une vipère ! redit Théodule, de plus en plus affolé et avec de grands gestes des bras en direction du pacage.

— Et alors, petit couillon, c'est quand même pas la première que tu vois, non ? dit le père Martin en se versant un verre de piquette.

— Elle a attaqué Pompon ! Je l'ai vue juste devant moi ! Elle lui a sauté au museau ! Il a fait : « Brêêêê ! brêêêê ! » Et puis il s'est mis à tourner, comme s'il était saoul !

— Miladiou ! Où ça ? lança le père Martin en reposant si violemment son verre sur la table que tout le contenu se répandit sur sa main.

— Ben, au pacage des Teyssonnières, là où je garde, dit Théodule en commençant à pleurnicher avec beaucoup de talent.

— Conduis-moi, vite, et cesse de braire ! ordonna le père Martin en enfilant les pans de sa chemise dans son pantalon. Et toi, jeta-t-il à Gaston qui, sieste interrompue par le bruit, venait de sortir de la chambre, suis-nous avec la bouteille de gnôle, c'est bon pour contrer le venin. Alors, c'est où ? demanda-t-il peu après.

Il était tout essoufflé par sa course et en sueur car le soleil tapait toujours aussi dur.

— Là-bas, indiqua Théodule, sans vergogne, en désignant un gros buis centenaire situé à plus de cent mètres des lieux de l'exécution.

— L'est pas là… T'es sûr que c'est ici ? insista le père Martin quand ils furent sur place.

— Ouais, ouais ! Même que la vipère était sûrement sous ce buis, j'ai bien vu, elle était rouge et grosse comme le bras, elle a sauté sur Pompon, le pauvre cherchait l'ombre…

— L'est là-bas, dit soudain Gaston en désignant la masse blanchâtre immobile au pied du chêne.

— Miladiou de miladiou, le pauvre bougre a réussi à se traîner jusqu'ici, grommela le père Martin après s'être penché vers la bête dont les naseaux étaient déjà noirs de mouches.

— L'est quand même pas crevé ? hasarda Gaston.

— Et qu'est-ce que tu crois, pauvre tabanard ? Qu'il fait la sieste ? le rabroua son père en lui arrachant de la main la bouteille de gnôle. Il avala trois grandes gorgées, s'essuya la bouche d'un revers de l'avant-bras : Va atteler la bourrique au charretou et reviens. On chargera cette bête et tu iras l'enterrer dans le pré de la vallée.

— Et pourquoi il le fait pas ici, lui ? protesta Gaston qui mesurait très bien l'ampleur du travail demandé. Après tout, c'est lui qui le gardait, et c'est bien sa faute si…, jeta-t-il en désignant Théodule.

— À trop discutailler, tu vas te prendre une calotte, toi ! menaça son père en levant sa large main calleuse. Qu'est-ce que tu veux creuser ici, hein, grand couillon ? C'est rien que des pierres !

— Et c'est bien pour ça que c'est plein de vipères..., glissa Théodule, d'un air entendu.

Mais le mauvais coup d'œil que lui jeta le père Martin lui fit comprendre qu'il était grand temps de modérer ses propos et d'arrêter sa comédie.

Pendant les quatre ans qui suivirent et jusqu'à son départ de chez les Martin, Théodule encaissa sans broncher les sarcasmes que Gaston lui lançait.

— Parole, ricanait ce dernier en fronçant les narines, tu pues de plus en plus, c'est pire qu'un furet putoisé ! Faudra un jour que je te foute dans la mare, histoire de te décrasser un peu !

Mais ce que négligeait Gaston, aveuglé par sa bêtise et sa méchanceté, c'était que son souffre-douleur devenait de plus en plus grand, et costaud. À seize ans, Théodule avait déjà sa taille d'homme, une carrure impressionnante, une force redoutable et des poings comme des marteaux de forgeron, ces masses à frapper devant, qui laminent les plus grosses pièces...

Mais Gaston ne voyait que ses cheveux flamboyants et ses taches de rousseur. Pour lui, fils de famille et unique héritier des Martin, Théodule n'était qu'un tâcheron, un manouvrier, un moins que rien, un valet. Certes, il ne gardait plus le troupeau, remplacé par un gamin de dix ans depuis que le père Martin avait réalisé qu'il pouvait être d'une grande utilité pour les travaux de la ferme. Malgré cela, pour Gaston, il était toujours le rouquin, un individu d'autant plus méprisable qu'il ne répondait jamais aux provocations et ne relevait pas non plus les pires insultes. Cela étant, malchance pour

Gaston, Théodule, outre sa force, avait aussi une mémoire sans faille et, lorsque besoin, une patience inébranlable.

Jusqu'au jour où, n'étant plus l'homme à tout faire du père Martin – il avait quitté ce dernier car il était d'une pingrerie éhontée –, Théodule décida de solder enfin quatre ans de brimades et d'humiliation.

Il était, depuis deux mois, employé par Léon Meyssac, un marchand de bestiaux ; un homme riche, un négociant redouté qui avait besoin de bons rabatteurs. Des hommes jeunes, capables d'avaler à pied leurs vingt-cinq à trente kilomètres par jour pour passer de ferme en ferme à la recherche d'un lot d'agneaux, de veaux ou de quelques belles vaches bouchères.

Théodule appréciait beaucoup ce nouvel emploi car, outre le fait qu'il gagnait enfin sa vie – il avait l'œil pour jauger la valeur et le poids des bêtes –, il s'y entendait aussi très bien, suivant les fermes visitées, pour conter fleurette à tout ce qui portait jupon, pour peu que ce soit entre quinze et quarante ans… Et, déjà, sur ce point aussi sa réputation était des plus flatteuses !

Mais il n'oubliait pas pour autant le vieux compte qu'il avait toujours avec Gaston. L'occasion de le régler lui fut donnée un jour de foire à Turenne, alors que son patron et lui venaient d'y acheter une douzaine de très beaux agneaux et quatre veaux de belle venue.

Peu après-midi, foire terminée mais soif et faim aiguisées, Théodule aperçut Gaston. Celui-ci était attablé, avec deux compagnons, sous la tonnelle de glycine de Chez Justin, un estaminet dans lequel, au dire de ses fidèles clients, on dégustait, après la soupe et le chabrol, les meilleurs pieds de porc de la région. Et son vin des coteaux de Noailhac était fameux, lui aussi. Mais, en attendant la soupe, Gaston était occupé à se préparer une absinthe en versant lentement l'eau fraîche pour faire fondre le morceau de sucre contenu dans la passoire en équilibre sur son verre.

— Mais dis donc, toi, t'es bien le fils Martin, non ? dit Théodule après avoir feint d'hésiter avant de se décider à venir jusqu'au bistrot, exactement comme s'il n'avait pas tout de suite reconnu son persécuteur.

Ses énormes mains posées sur la table de marbre, il dominait maintenant Gaston de toute sa carrure.

— Mais oui ! C'est bien toi, Gaston ! Le Gaston Martin ! enchaîna-t-il sans laisser à celui-ci le temps de répondre. Dis donc, c'est-y vrai que l'odeur des rouquins te déplaît ? Hein ? Paraît que t'aimes pas les rouquins parce qu'ils puent pareil que des renards crevés, c'est ça ? Eh bien, vont pas être les seuls à puer, bientôt… Allez viens, petit, dit-il en empoignant Gaston par une épaule et par sa ceinture de flanelle et en l'arrachant d'un seul coup de sa chaise.

Puis, sans tenir compte des braillements de goret de son vieil ennemi, ni des discrètes protestations des deux autres buveurs, il éleva Gaston à bout de bras au-dessus de sa tête et parcourut les quelque quarante mètres qui les séparaient de la mare de purin qui s'écoulait de l'étable et du tas de fumier du père Bordes. C'était un immonde et puant cloaque brunâtre, couvert de mouches et tout grouillant de flagellés obèses, dans lequel même le plus affamé et assoiffé des canards n'allait jamais tremper le bec tant le liquide était pestilentiel.

— Regarde bien, méchant couillon, foutu salopard, dit Théodule en tournant sur place pour présenter sa victime à tous les témoins de la scène – et ils étaient maintenant nombreux à profiter du spectacle. Regarde bien où tu vas prendre un bain ! Et si après tu ne pues pas encore plus que tous les rouquins du Limousin, on recommencera !

Puis, avec un grand « Rrrhan ! » de bûcheron, il expédia Gaston au milieu de l'infecte mare. Cela fait, sans même se retourner, il rejoignit le bistrot Chez Justin, s'assit à la table récemment occupée par Gaston et ses compagnons, vida les trois verres d'absinthe encore presque pleins et commanda une double portion de pieds de porc.

Dès ce jour, et pour des décennies, nul n'osa chercher querelle à Théodule. Et ce d'autant moins qu'à l'automne suivant, au moment des vendanges, plusieurs témoins jurèrent, haut et fort, qu'ils avaient vu, de leurs yeux vu et que le diable les étouffe s'ils mentaient, Théodule empoigner une barrique pleine et la charger sur un fardier. C'est ainsi que, jadis, se fonda sa réputation. Elle n'en était qu'à ses prémices.

Mis à part quelques autres démonstrations de force et nombre d'empoignades avec les frères, les galants en titre, voire les époux des bonnes amies qu'il collectionnait, Théodule ne défraya guère la chronique avant son retour au pays après trois ans de service militaire. Il est vrai qu'auparavant, entre seize et vingt ans, il avait pratiqué, comme il le disait lui-même : « trente-six métiers et trente-six misères ! ».

Curieux de tout, mais pas du tout enclin à subir les admonestations ou les critiques d'un patron, surtout s'il les jugeait mal fondées, il goûta tour à tour, après celui de mercanti, au métier de maçon, de couvreur, de charpentier, de forgeron, de bûcheron, de carrier ; occupations qui lui firent découvrir d'autres horizons que ceux de sa commune, qui affûtèrent aussi sa vocation d'inventeur.

Mais celle-ci ne s'épanouit vraiment que lorsque, son père décédé et sa mère impotente, il revint vivre sur la ferme de sa naissance. Il avait alors vingt-cinq ans, était toujours aussi roux qu'un incendie de pinède et fort comme une paire de bœufs limousins. Aussi, parce que le travail que lui demandaient les quatre misérables hectares de sa propriété était insuffisant pour l'occuper à plein temps, outre le fait qu'il se louait çà et là lors des gros travaux saisonniers, lui vint à l'idée, pour meubler ses soirées d'hiver, d'inventer puis de fabriquer quelques machines.

Dès cet instant, les plus compliqués des calculs occupèrent son esprit. Et c'est tout juste si, entre deux ébauches, il prenait le temps d'aller honorer les nombreuses conquêtes qu'il comptait dans le pays. Ces escapades mises à part, quels plans et croquis ne traça-t-il point, lui qui savait à peine écrire son nom et qui, sans y prendre garde, brisait, comme des fétus, les crayons et les porte-plumes entre ses gros doigts, plus aptes aux travaux manuels qu'aux tâches de tabellion !

Vers 1905, alors qu'il était en pleine force de l'âge, il se piqua, lui aussi, de participer à l'essor mécanique, voire industriel, auquel s'éveillait le pays. Aussi, après avoir vu, un jour de foire à Brive, les premières bicyclettes modernes et s'en être émerveillé, n'eut-il de cesse de s'en fabriquer une !

Parce qu'il n'avait pas de métal – l'acier était hors de prix en ces temps et Théodule était loin d'être riche –, il décida de réaliser sa machine en bois. Tout en bois, avec un cadre gros comme le bras, et des roues en cœur de chêne. Son engin n'avait ni chaîne ni pédalier et on l'eût beaucoup étonné en lui disant qu'il venait, en toute innocence, de réinventer la draisienne. Fier comme un paon de sa création, il convia tous les voisins à assister aux premiers essais, lesquels, bien entendu, ne pouvaient être que concluants.

— D'ici, ça devrait être très bien, décida-t-il après avoir poussé l'énorme et lourde machine en haut de la plus longue côte des environs.

Sûr de son fait, il enfourcha l'engin, le poussa des pieds et s'élança crânement dans la descente.

Les cinquante premiers mètres furent relativement concluants car, à part l'inconfort et la dureté de la selle de bois et les cahots dus aux pierres du chemin, le bicycle roula. Il roula tellement bien et atteignit une telle vitesse que rien n'aurait pu lui faire prendre le premier tournant qui se présenta. Tout en jurant comme un charretier, Théodule s'écrasa contre les rochers qui bordaient le chemin et sa machine fut bonne pour le feu ; quant à lui, il était couvert de gnons…

Un peu dégoûté des moyens de locomotion trop modernes, mais pas à court d'idées et certain qu'il pourrait se faire quelque argent en passant de ferme en ferme, il s'attela à la construction d'une batteuse. À ses dires, elle allait être tout aussi capable de battre les diverses céréales que les haricots blancs, les fèves et le blé noir ! Cette création l'occupa pendant tout un hiver mais, dès le printemps, la machine était prête.

C'était une monstrueuse caisse à engrenages et fléaux, tout en bois, elle aussi, et actionnée par un âne dont la marche, sur un tapis roulant, devait entraîner la mécanique. Ou, plus exactement, qui aurait dû si elle avait fonctionné plus de trois minutes. Mais, non seulement elle se disloqua après quelques sinistres craquements et se révéla être beaucoup plus proche du moulin que de la batteuse… De la brassée de haricots enfournée par l'inventeur, il ne sortit, après d'affreux bruits de bois éclaté, qu'une grossière farine, un vilain concassage, fait de cosses et de grains écrasés.

Mais, outre ses muscles, ce qui faisait la force de Théodule, c'était qu'aucun échec ne le rebutait ; il était imperméable à la honte et au désespoir qu'engendrent, chez les faibles de caractère, les expériences ratées. Aussi, après la bicyclette et la batteuse, il se hasarda dans la réalisation d'une éolienne, laquelle, en bonne logique, eût dû entraîner une chaîne à godets qui, plongée dans le puits, devait en quelque sorte assurer l'eau courante dans la maison…

L'idée était valable, la réalisation beaucoup moins car l'échafaudage et la grande hélice s'en volèrent au premier coup de vent ; il n'en fallut pas plus pour convaincre Théodule que, tout bien pesé, un seau au bout d'une corde rendait les mêmes services. Et ce, sans risque de se faire décapiter par les pales, ce qui avait failli être le cas…

Pas rebuté pour autant et toujours poussé par le démon des chercheurs et des inventeurs, il passa aux choses sérieuses. Parce qu'il était sûr de lui et de ses capacités, que nul n'osait le critiquer et encore moins rire de lui et qu'il avait assisté, ébahi, au vol d'un aéroplane dans la plaine de Brive, il décida sans plus attendre de se spécialiser dans l'aéronautique. Vaste et ambitieux programme dont il ne douta pas un instant de triompher.

Mais un aéroplane, tel qu'il le concevait, tout en lattes et planches de noisetier… Non ! Théodule était beaucoup trop subtil pour s'engager dans cette voie-là ; le bois, passe encore pour une bicyclette, une batteuse, une éolienne, mais pas pour une machine volante !

Celle-ci devait être assez robuste pour être capable de résister aux grands vents, aux bourrasques et même aux orages qu'elle aurait peut-être à affronter un jour ! Alors Théodule réfléchit, traça maints plans, calcula et trouva enfin la solution. Et c'est ainsi qu'il se mit à faire la quête, au bourg de Lachabanne et même à Brive les jours de foire, de toutes les boîtes de conserve usagées que voulurent bien lui céder les ménagères.

Mais en ces temps-là, une boîte, même vide, était précieuse ; elle pouvait servir à mesurer le grain, à ranger les clous ou le sucre, la farine, la chicorée et le café, que sais-je encore. Il fallait donc trouver les arguments capables d'encourager les propriétaires à donner leur bien, il fallait leur prouver qu'ils œuvraient ainsi à la réalisation d'un grand projet. Aussi, sans honte mal placée, avec fierté même car il n'était pas avare d'explications, Théodule mendia pendant plus d'un an.

À temps perdu, il découpait toutes ses boîtes, les aplatissait et les martelait. Puis, jour après jour, avec amour, il les clouait sur de fines baguettes de noisetier et des lattes de châtaignier. Son engin prit forme peu à peu, deux ailes immenses et scintillantes de près de trois mètres d'envergure chacune ; un peu rouillées par endroits, certes, mais si joliment décorées par les étiquettes chatoyantes de thon à l'huile, de haricots verts, d'épinards ou de tripes à la mode de Caen !

Enfin, le grand jour du baptême de l'air arriva. Mais avant de l'évoquer, il importe ici de se souvenir de la naissance de Théodule et du douillet endroit dans lequel l'avait déposé sa mère, lors d'une glaciale nuit de décembre 1876. Nul doute que s'il se fût trouvé du côté du hameau de Peuchnègre, en ces années 1910, un de ces pédants et oiseux charlatans qui vous décortiquent la mémoire pour vous laver le cerveau et vider le portefeuille, qu'il eût conclu que Théodule faisait là un retour aux sources, une régression, une sorte de cri primal ! Mais Théodule ignorait tout de ce genre de fumeuses élucubrations et, pour l'heure et en attendant le grand moment de l'envol, il avait les pieds sur terre !

Parce qu'il était persuadé de son astuce, de son génie même, il invita tous ses voisins du hameau et même beaucoup d'amis de Lachabanne à assister aux essais. Et sa fougue était telle et son enthousiasme si communicatif que les témoins en vinrent à se dire que, tout compte fait, après tout pourquoi pas, ce phénomène de Théodule était bien capable de s'envoler dans les nuages ; on savait s'enthousiasmer alors ! Et tout le monde se hissa en haut de la falaise qui surplombait de soixante pieds le hameau de Peuchnègre.

Là, c'est en retenant leur souffle que les voisins le virent se harnacher. Et, déjà, tous ceux qui, depuis des années, faisaient discrètement – et toujours de loin – des gorges chaudes des lubies de l'inventeur hochaient maintenant la tête avec admiration. En ce jour, Théodule le rouquin, ceint de ses ailes multicolores, était beau comme un archange !

— Alors voilà, expliqua-t-il en s'approchant de son rocher d'envol, je saute là. Ensuite, je fais un grand tour au-dessus de chez nous pour saluer la maman, je l'ai prévenue pour qu'elle prenne pas peur. Je vire ensuite au-dessus de la grange de chez Jacquou, tiens, je te dirai s'il te manque des ardoises ! Et après, tranquille, je vais me poser là-bas, dans notre terre à côté du gros noyer.

Il prit une profonde inspiration, étendit ses grandes ailes et plongea tête la première dans le vide.

Faute d'être à lui, le ciel était avec lui. Un énorme cerisier l'accueillit en son sein ; il y disparut dans un vilain bruit de ferraille, de branches brisées, de feuillage malmené et de jurons et s'aplatit, pour finir, au milieu d'une dizaine de canards de Barbarie qui eux, pour le coup, s'envolèrent sans plus attendre.

— Tiens, ponctua alors un farceur penché au-dessus du vide, le Théodule nous a fait des petits, et ils volent mieux que lui !

— Ça ne fait rien, dit plus tard Théodule – il était couvert de bleus, de bosses et d'estafilades sanguinolentes mais n'était en rien abattu –, c'est pas grave, mes ailes étaient trop lourdes, c'est tout. Et puis j'ai même pas eu le temps de les agiter ! N'empêche, elles sont pas perdues pour autant, elles vont me faire un fameux toit pour ma cabane à lapins, j'ai pas travaillé pour rien !

Il se disait, dans les années 1950, lors de ces veillées dont j'ai parlé plus haut, que Théodule fabriqua encore quelques engins. Entre autres une machine à ramasser les noix dont le moindre des inconvénients était de transformer directement les fruits en huile…

Il se disait surtout que Théodule, après trois ans de guerre, avait définitivement perdu sa force, sa fougue, sa gaieté.

Et le bras droit aussi, laissé du côté de Craonne, en avril 1917…

Théodule, celui dont les péripéties et les expériences meublaient nos soirées, jadis, à cette époque où les flammes dansaient au sein de l'âtre.

Désormais, le feu ne pétille plus dans les vastes cheminées. On ne l'allume plus depuis longtemps car l'écran de télévision ne supporte ni ses reflets, ni sa danse, ni son scintillement.

Et nul ne parle plus. Le feu est éteint et les veillées sont mortes. Mais qui, demain, saura encore raconter et se souviendra des mille et une aventures de ce drôle d'oiseau qui avait nom Théodule Leplanchou ?

Le joug

Même si quarante-cinq ans s'étaient écoulés depuis ce matin d'octobre 1872 où son grand père, Hector-Sébastien Neyrat, en veine de confidences et de prophéties, s'était épanché plus que d'habitude, Célestin n'avait rien oublié de ses propos :

— Tu verras, partis comme nous le sommes avec toutes ces machines du diable, le siècle prochain vous fera souffrir, vous, les jeunes. Moi, je serai mort depuis longtemps. Mais toi, mon petit, souviens-toi bien de ce que je te dis ! Vous allez avoir des surprises ! Et pas toujours des bonnes ! avait assuré l'ancêtre tout en maniant le paroir avec une dextérité et une poigne inouïes pour son âge.

« Parce qu'il était déjà dans sa soixante-dixième année à l'époque ! calcula Célestin en caressant de sa main luisante de cals, bruns comme des copeaux de merisier, la longue pièce de bois qu'il était en train de transformer. Ben oui, soixante-dix ans et moi quatorze ! Des surprises, qu'il disait, et pas toujours des bonnes ! Sans doute, mais moi j'avais déjà eu mon compte de mauvaises, alors après… »

Son compte, oui, avec son père fauché en pleine force de l'âge par un chaud et froid qui l'avait emporté en moins d'une semaine…

Son compte, toujours, et alors qu'il s'était retrouvé chef de famille, à douze ans, car l'aîné de cinq, lorsque sa petite sœur, celle pour qui il avait, encore maladroitement, fabriqué sa première paire de sabots, était morte du croup ; étouffée un soir d'hiver, tout craquant de ce froid terrible qui déferlait des Monédières, paralysait le village de Plagnac et toute la basse Corrèze, de Beaulieu jusqu'à Pompadour.

Et pourtant, il ne faisait pas froid dans la maison des Neyrat, car il eût fait beau voir que les chutes de hêtre, de châtaignier et de noyer, la sciure et les copeaux et aussi de solides bûches en chêne du causse manquassent pour alimenter le feu ! Sabotiers de père en fils depuis plus d'un siècle, les Neyrat avaient de quoi acheter leur bois, tant pour leur travail que pour leur chauffage. Malgré cela, et le feu d'enfer qui ronflait dans la grande cheminée à cantous, la petite Ernestine, toute grelottante de fièvre, s'était éteinte, à bout de suffocation.

Alors, après ces deux sinistres épreuves, les mauvaises surprises annoncées par le grand-père n'avaient pas beaucoup inquiété le jeune Célestin.

D'ailleurs, lui, il n'avait pas peur de l'avenir ! Lui, ce qu'il voulait et à quoi il consacrait toute l'énergie de ses quatorze ans, c'était apprendre le métier de ses ancêtres. C'était savoir domestiquer le hachereau, la cuiller, l'herminette, la rainette et la vrille et tous les autres outils de la profession, sinon aussi bien que son aïeul – celui-ci avait l'avance de soixante ans d'expérience ! –, du moins sans porter aux ébauches de sabot le fatal coup de lame qui les réduit à néant ; du moins aussi sans trop s'entailler les doigts et les paumes ! Ce qu'il désirait, c'était être un jour un artisan digne de ce nom, un sabotier reconnu ! Et il l'était devenu, à force de labeur et de ces terribles coups de gueule – et parfois de coups de pied au cul ! –, que lâchait son grand-père lorsqu'il estimait que l'outil était mal tenu, le travail mal conduit ou le bois choisi pas assez sec :

— Faut te le dire combien de fois qu'une bonne bille, pour être sèche, demande un an par centimètre ! Alors ? Miladiou, tu m'as pris là un morceau de vingt centimètres d'épaisseur que j'ai mis à sécher il y a onze ans, c'est marqué là, sur la tranche ! Tu sais lire, petit couillon, et compter, oui ? Alors, combien il manque d'années de séchage, hein ?

Et Célestin, après avoir calculé sur ses doigts, avouait son erreur et replaçait soigneusement sur les tasseaux le morceau de hêtre, d'aulne ou de noyer, trop tôt dérangé dans sa lente maturation.

Par chance pour le jeune apprenti, son ancêtre avait vécu jusqu'à quatre-vingts ans et lui avait ainsi appris tous les secrets du métier. À sa mort, Célestin maîtrisait tout son art, mais il n'oubliait pas les prévisions de l'ancêtre.

Il les avait d'abord tenues pour gentils radotages de vieillard qu'effraient des lendemains dont l'organisation lui échappe. L'organisation mais aussi les innovations, les nouveautés ; toutes ces avancées techniques et ces progrès matériels auxquels le vieux sabotier, né en 1802, ne parvenait pas à s'adapter.

Le train surtout l'effrayait beaucoup, celui qui, partant de Brive en direction de Périgueux, serpentait non loin du village en ahanant et en fumant.

— Tu verras, petit, ça vous amènera rien que de la misère, toutes ces machines d'enfer ! Des industries et des usines, d'abord, qui tueront les petits comme nous ! Des étrangers au pays ensuite, tous ces gens des Monédières, de Millevaches et même du Cantal qui n'ont rien que des châtaignes et des raves pour se nourrir ! Tant qu'ils venaient à pied, ça limitait l'invasion, mais quand cette maudite chaudière à vapeur nous les poussera chez nous par pleines charretées, ils nous mangeront tout, tout, je te dis !

— Mais non ! assurait le jeune Célestin, au contraire, ça nous fera des clients, on leur vendra des sabots !

Mais, à ce sujet, force était au jeune homme de reconnaître que son grand-père était sans doute lucide et qu'il fallait suivre ses conseils…

— Des sabots ! ricanait le vieillard en creusant à la gouge la bille de hêtre qu'il travaillait, des sabots ! Tiens, les nôtres, les vrais, les solides, ils passeront pas les années qui viennent ! Tu n'as pas encore vingt ans, mais quand tu en auras quarante, si tu vends seulement le quart des socques qu'on fait aujourd'hui, je sors du tombeau et, pour bien dire que je me suis trompé, je te sculpte une paire de sabots des dimanches en loupe d'orme !

— Mais il faudra pourtant bien que les gens continuent à nous en acheter ! Tout le monde pourra pas s'offrir des chaussures de monsieur, en cuir ! C'est beaucoup trop cher ! Alors, les gens vont quand même pas aller pieds nus, comme des sauvages !

— Réfléchis un peu au lieu de discutailler comme un geai ! Tu n'as pas vu tous ces colporteurs qui, déjà, proposent ces saloperies de galoches ? Ces faux sabots à semelles de bois taillées à la machine sur lesquelles d'autres maudites machines fixent des sortes de pantoufles en cuir, t'as pas vu ?

— Ben, si…

— Eh bien, pour nous, sabotiers, c'est la mort. Enfin, heureusement que j'ai d'autres cordes à mon arc, que notre réserve de bois est fameuse et que mon père m'a appris à façonner autre chose que des sabots ! Parfaitement ! D'ailleurs, maintenant que tu sais à peu près tenir une plane sans te couper en deux et une herminette sans t'estropier, il va être temps que je t'apprenne à fabriquer ce qui t'empêchera un jour de crever de faim. Parce que ça, on en aura toujours besoin, toujours ! Et même au siècle prochain, qui verra la fin des vrais sabotiers comme nous, parole, on ne pourra pas plus s'en passer que des colliers des chevaux ou que des roues de charrettes ! Ça, mon petit, ça restera toujours, jusqu'à la fin des temps, et je vais t'apprendre…

C'est ainsi qu'Hector-Sébastien Neyrat, après avoir initié son petit-fils à l'art de la saboterie, lui avait patiemment inculqué tous les gestes, tous les secrets, toutes les tailles, rabotages, ponçages et autres caresses qui transforment une bille de frêne, coupée à la bonne lune et mise à sécher à l'abri, trente ans plus tôt, en une pièce magnifique. Un joug quasi invulnérable – sauf par le feu – et capable de soutenir, si besoin était, la fantastique traction d'un couple de taureaux s'arc-boutant, bave aux naseaux, pour arracher aussi bien une souche de châtaignier bicentenaire, une sous-soleuse défonçant une glèbe vierge ou un tombereau d'une tonne !

Bien entendu, ni Célestin ni son grand-père n'avaient jamais vu de taureaux de trait dans la région. Ici, en basse Corrèze, c'était plus souvent à des vaches de travail qu'on posait le joug. Certes, dans les fermes importantes existaient des attelages de bœufs, mais point de taureaux. Cela importait peu au vieil Hector-Sébastien ; il tenait de son père que, dans quelques lointaines régions, des taureaux étaient à l'honneur pour les labours et autres travaux. Il fallait donc que les jougs qui sortaient de ses mains fussent capables, à tout hasard, d'être aussi bien posés entre les fantastiques cornes d'une paire de salers non coupés qu'entre celles de solides bœufs limousins ou encore d'un couple de paisibles mais fortes vaches.

— Parce que, ensuite, avait expliqué l'aïeul, si tu as bien tout modelé, surtout les écuelles, oui, c'est là que s'encastre le crâne des bêtes, les cornes, très vite, trouvent leur assise, se logent. Et chacune fait sa place, comme toi dans ton oreiller. Et c'est bien pour ça aussi qu'il est impossible de changer les bêtes de côté, chacune a laissé sa trace, son empreinte dans le frêne ou le noyer, comme toi avec ta gouge et ta plane. Mais, avant tout, n'oublie jamais qu'il faut savoir choisir la bille qui, par ses nerfs, ses fibres et ses muscles, saura toujours garder sa force et aussi sa souplesse ! Ensuite, il faut que la forme que tu vas lui donner et toute son épaisseur que tu vas peu à peu amincir et modeler, loin de l'affaiblir, lui donnent sa puissance, son invincibilité !

Ainsi Célestin s'était-il patiemment initié et familiarisé au façonnage des jougs. Et parce que ceux qui sortaient de ses mains semblaient avoir été spécialement conçus pour chaque paire de bêtes à laquelle il était destiné, les jougs dits « de Célestin » devinrent peu à peu une valeur sûre, une référence et la quasi-certitude, pour les acheteurs, que les bêtes accouplées grâce à eux seraient toutes des championnes du labour.

Cela étant, même après quarante-cinq ans, Célestin se souvenait toujours des propos de son grand-père. Et il en souriait avec attendrissement. Car s'il était bien vrai que les fabriques industrielles de galoches avaient fait grand tort à la saboterie artisanale, les mauvaises surprises annoncées par l'ancêtre n'avaient pas eu lieu. Pour Célestin, la vente des meubles qu'il créait aussi maintenant, plus celle des jougs était de bon rapport, et l'avenir était lumineux ! Là, Hector-Sébastien Neyrat ne s'était pas trompé, les jougs n'étaient pas à la veille de se démoder au cours de ce XXe siècle plein de promesses !

En ce 25 juillet 1914, tout allait pour le mieux pour Célestin Neyrat ; les commandes affluaient, la vie était belle et l'été splendide. Certes, il se disait çà et là qu'une guerre n'était pas impossible là-haut, au diable vauvert, dans le Nord ou l'Est, comme en 70. Mais c'était très loin de la Corrèze. D'ailleurs, si guerre il y avait, et rien n'était moins sûr, elle serait très rapide, et surtout vite gagnée ! Mais on n'en était pas encore là. Il ne servait donc à rien de se ronger les sangs puisque le métier allait bon train, que la relève était assurée depuis longtemps, grâce au fils unique, très habile lui aussi devant un bloc de noyer ou d'aulne, bref, que l'existence était paisible.

C'était donc presque pour le plaisir que Célestin mettait le dernier petit coup de rainette au superbe joug qu'il avait amoureusement modelé et sur lequel, par coquetterie, il avait gravé à la rouanne au-dessus de chaque écuelle les mots « Rouge » et « Fauve », noms des magnifiques bœufs bientôt ceints par la pièce de bois. Le joug lui avait été commandé par le père Chataurac qui, outre un plein toupi de napoléons, trois hectares de bonne terre, un trousseau complet et un plantureux bahut, donnait aussi en dot à sa fille une paire de jeunes bœufs parfaitement dressés, lesquels, bien sûr, ne pouvaient être liés qu'au meilleur joug de la région, un Célestin !

Octave Duchamp, gendre Chataurac, eut juste le temps d'apprécier la beauté et le galbe parfait du joug de Célestin. Et c'est alors qu'il se promettait de l'inaugurer dès que les trois jours de noce seraient écoulés qu'il reçut sa feuille de mobilisation. Elle le cueillit au lendemain de sa nuit de noces. Nuit qui lui avait prouvé que, outre sa magnifique dot, sa femme, la petite Armandine, avait nombre de talents cachés qui ne demandaient qu'à être développés. Et c'était bien ce qu'il s'était promis de faire tout en lui caressant une hanche aussi douce et finement profilée que le joug tout neuf qui, là-bas, suspendu dans l'étable, attendait les bœufs.

Octave Duchamp fut fauché par une rafale de Maxim le 7 août 1914 ; il mourut sans rien comprendre à ce qui lui arrivait dans ce coin des Vosges si différent et si loin de sa Corrèze natale.

Mais déjà, avec un courage en tout point semblable à celui de ses voisines, jeunes ou moins jeunes mais elles aussi privées d'homme, Armandine avait, avec l'aide de son beau-père, un vieillard de près de soixante-cinq ans, lié les bœufs au joug tout neuf et était partie rentrer les dernières gerbes de blé.

Et le joug chantait doucement sous le frottement des cornes qui, au rythme lent de l'attelage, peaufinaient les bords des écuelles.

Le joug de Célestin était parfaitement poli par le travail lorsque Armandine se remaria en janvier 1920. Elle n'avait que vingt-trois ans et, certains soirs, se sentait saisie par de confus émois au souvenir de sa lointaine nuit de noces. De plus, elle avait du mal à gérer la ferme. Et le joug, malgré sa finesse, lui semblait souvent bien lourd à hisser jusqu'à la tête des paisibles bœufs, habitués depuis longtemps à voir cette petite silhouette brandir devant eux un joug presque aussi haut qu'elle !

Désormais, ce fut Jean mais aussi et toujours Armandine qui vinrent lier les bêtes. En effet, pour habile qu'il fût en bien des domaines, y compris dans celui des réconfortantes câlineries que sa jeune épouse redécouvrait, Jean ne pouvait, seul, atteler les bœufs : il avait perdu son bras gauche sur la Somme.

Ainsi, de décennie en décennie et alors que grandissait Pierre, le fils unique d'Armandine et de Jean, et qu'aux bœufs trop vieux succédaient de nouveaux attelages, le joug de Célestin traversa le temps. Toujours aussi solide qu'aux premiers jours, rééquipé périodiquement de lanières neuves, il coiffa, sans faillir, toutes les bêtes que Jean et Armandine, puis Pierre lui confièrent ; et aucune ne rechigna au travail, car le bois leur était doux au crâne et aux cornes.

Puis, un matin d'octobre 1940, comme vingt-six ans plus tôt, Armandine se retrouva seule devant le couple de bœufs qu'il fallait atteler pour aller labourer. Cloué au lit par une douloureuse bronchite, Jean ne pouvait lui être d'aucune aide ; quant à Pierre, mobilisé comme tant d'autres, il était on ne savait où…

Ce fut en soupirant qu'Armandine parvint, à grand-peine, à installer le joug de Célestin sur le crâne des bœufs. Jamais il ne lui avait paru si lourd, si encombrant, si difficile à lier autour des cornes blondes.

« Faudra pourtant bien que je m'y habitue, songea-t-elle, surtout si ce pauvre Jean tarde à se remettre… »

Assommé par la fièvre, il tarda tellement qu'Armandine avait retrouvé tous ses gestes d'antan et sa technique d'attelage lorsque son époux, enfin convalescent, put lui venir en aide ; mais les labours et les semailles étaient finis depuis longtemps !

Passèrent les premières années de guerre. Puis, comble de la disette, suite à une gravelle contractée par le Rouge – le bœuf de droite, qu'il fallut abattre –, l'attelage fut dissous, perdu et dut être remplacé par une paire de vaches. Bêtes maigres et peu solides qui semblaient porter tout le poids et toute la misère du monde dès que le joug de Célestin leur touchait la nuque ! Alors, pour le rendement au travail…

Malgré cela, ce piètre couple de guerre remplit cahin-caha son rôle et s'habitua au vieux joug de plus en plus poli par les ans et qui, par endroits, là où cornes et lanières frottaient le bois, prenait des teintes de vieil ivoire.

— Les bœufs et surtout les vaches de travail, ça ne vaut rien, il faudra en venir au tracteur ! décida Pierre à son retour d'Allemagne, en juin 1945.

— Ouais, ouais, on verra plus tard, dit Jean un peu inquiet en remarquant que son fils avait presque oublié l'art qui consiste à lier des bêtes ; la fine technique qui demande à la fois de la poigne et du doigté dans le savant croisement des lanières de cuir hongroyé autour des cornes et du front et surtout une tension qui ne doit être ni trop lâche ni trop forte. Dans le premier cas, le joug brinquebale et gêne les bêtes en brisant leur effort ; dans l'autre, il les torture en leur prenant le crâne comme dans un étau.

— Bon Dieu ! Tu ne sais plus atteler ? fit-il en venant en aide à Pierre, de son unique bras.

— Perdu l'habitude ! Nous, là-bas, en Poméranie, on avait des chevaux et surtout deux tracteurs ; alors, cette espèce de saloperie de joug !

— Dis pas ça ! intervint Armandine, c'est un Célestin, un vrai, le meilleur de tous !

— D'accord, d'accord, concéda Pierre, mais un jour on aura un tracteur et ton joug, de Célestin, de Casimir ou de n'importe qui, tu pourras en faire une flambée !

Ce fut au printemps 1955 que le tracteur arriva. La paire de bœufs, acquis huit ans plus tôt et amoureusement engraissés pendant tout l'hiver, à grand renfort de farine d'orge et d'arachide, de topinambours et de betteraves, fut liée pour la dernière fois au joug de Célestin.

C'étaient de solides limousins, gras à pleine peau, dont la vente pour la boucherie devait couvrir une partie du prix du tracteur.

C'est d'un pas lent, pour ne pas les fatiguer ni leur faire perdre la moindre livre, que Pierre leur fit parcourir les mille cinq cents mètres qui séparaient la ferme de la petite salle d'abattage où officiait le boucher du village.

Une fois sur place, il les délia, replia soigneusement les lanières autour du joug, empocha la somme convenue et posa le joug de Célestin sur son épaule. Sa mère lui avait fait promettre de le rapporter, même s'il était désormais inutile. De retour à la maison, ce fut par habitude que Pierre hissa l'objet sur l'étagère de l'étable qui, depuis quarante et un ans, accueillait le joug de Célestin.

Oublié là, il fit très vite le régal des rats et des souris grâce à ses lanières de cuir tout imprégnées de sueur et lourdes d'odeurs délectables.

Puis vinrent les araignées qui le nimbèrent de voiles où s'accrochèrent moult insectes. Enfin, dix ans plus tard, un couple de troglodytes mignons, attiré par la voûte protectrice de l'écuelle gauche, nicha là d'année en année et de mère en fille jusqu'en 1996.

Acheté quinze francs par un jeune brocanteur spécialisé dans la piraterie des fermes en perdition où ne vivaient plus que des vieillards oubliés de tous, le joug alla rejoindre, dans la camionnette, le gros bahut en ronce de noyer fabriqué par Célestin Neyrat en 1913. Le meuble venait d'être promptement échangé à la veuve de Pierre contre un immonde buffet « fonctionnel » en Formica garanti, rouge et vert, si facile à entretenir et à nettoyer…

Lessivé, gratté, javellisé, brossé, poncé et, comble de l'horreur pour un joug de frêne, teinté en chêne foncé façon vieux bois, l'objet prit place dans la petite grange, transformée en hall d'exposition pour les gogos, sise au bord d'une route bien fréquentée par les touristes.

Là, coincé entre quelques magnifiques plaques de cheminée, des crémaillères, des landiers et des chenets – l'ensemble acheté au prix de la ferraille et revendu à celui du platine ! –, le joug attendit les chalands.

Ce fut en août 1998 qu'il tapa enfin dans l'œil d'un couple de jeunes Parisiens de l'avenue Marceau. Il venait d'acquérir dans la région une vieille maison paysanne complètement délabrée, inconfortable, inchauffable et hors de prix, mais si typique ! Elle ne pouvait donc qu'enthousiasmer tous les amis parisiens, du moins à la belle saison, l'espace d'un week-end et à condition qu'il fasse beau…

— Magnifique ! On jurerait une statue africaine, murmura la jeune femme pour ne pas attirer l'attention du brocanteur qu'elle devinait prompt à hausser les prix en fonction de son enthousiasme.

— Oui, tout à fait, une sorte de totem dogon, approuva son compagnon. Ou alors, peut-être, une création très moderne, très dépouillée, authentiquement d'avant-garde. Tiens, on jurerait presque du Wladimir Zarnac, ou encore du Raoul Phorbant, tu vois ce que je veux dire ?

— Bien sûr. Mais c'est quoi au juste, ce truc ? demanda la jeune femme au vendeur qui s'était approché, intéressé tout autant par ce que révélait le short ultracourt de la jeune femme que par la bonne affaire réalisable grâce au joug de Célestin.

— Ah ça, madame, un joug ! Objet superbe et en parfait état, pur chêne massif ! Et il a très peu servi !

— Un joug ? Ah oui, pour les chevaux, c'est bien ça ? sourit-elle, ravie de sa culture.

— En quelque sorte, si l'on veut… Oui, c'était bien pour des bêtes de somme, approuva le brocanteur, soucieux de ne pas vexer la jeune femme.

— Ça irait assez bien dans notre salle de séjour, tout à fait dans le style de nos poutres apparentes, calcula l'homme en soupesant l'objet. Combien ?

— Ah ! Vous savez, les jougs, surtout en cet état, sont de plus en plus rares et ils sont très demandés, assura le vendeur en se grattant pensivement le crâne. Vous comprenez, c'est mon dernier et… Alors… Allez, vous êtes mes premiers clients de la journée, mon geste me portera chance, et puis, vous m'êtes sympathiques. Huit cents francs, et, croyez-moi, vu tout le travail que j'ai eu pour le nettoyer, je ne gagne pas gros dessus…

— Six cents, tout en liquide bien entendu.

— Rajoutez cent et il est à vous ! Et, en plus, je vous trouverai quelqu'un qui, pour peu cher, vous l'arrangera magnifiquement, à l'ancienne.

— Ça marche !

— Vous ne cherchez pas des roues de charrette, par hasard ? Pour un portail, ça se fait beaucoup aussi…

— Merci. Pour l'instant, ce joug nous suffira.

Garni de deux lourdes chaînes en fer forgé, percé au centre de ses écuelles, torturé par des fils électriques et des douilles, paré d'abat-jour en cretonne rouge, le joug de Célestin est désormais accroché à une des poutres maîtresses de la salle de séjour, il fait la fierté de ses propriétaires.

Pourtant, à le voir ainsi transformé, expose mutilé, on est en droit de le trouver grotesque. Question de goût…

Malgré tout, même ainsi dénaturé et si loin de sa fonction d'origine, tout porte à croire qu'il traversera le XXIe siècle comme il le fit du XXe, ainsi que l'avait prévu le vieil Hector-Sébastien Neyrat.

Sauf si le feu s'en mêle…

La mémoire des pierres

Maître Jean-Claude Lardy étala devant lui la grande feuille du plan cadastral, la lissa de la main pour en atténuer les petites ondulations et regarda le couple qui se tenait debout de l'autre côté de son bureau.

— Vous ferez ce que vous voudrez, c'est vous les acheteurs et chacun est libre de son choix et de ses goûts, dit-il de ce ton posé et chaleureux qui lui attirait très vite la sympathie de ses interlocuteurs. Oui, puisque vous me demandez mon avis, je crois sincèrement que vous faites une erreur en choisissant cet endroit, ajouta-t-il en posant l'index sur une des parcelles sises au centre du plan.

— Ce lot est pourtant très bien placé, dit Antoine Peyroux en quêtant du regard l'approbation de son épouse.

— Oui, il nous plaît beaucoup, approuva la jeune femme.

— Et puis, deux mille cinq cents mètres carrés, c'est très suffisant, surtout quand il faut les entretenir et les tondre ! plaisanta Antoine.

Soixante-cinq ans à eux deux, Antoine et Cécile Peyroux, forts des promesses d'aides financières parentales et des possibilités d'emprunts bien négociés, avaient franchi, depuis trois mois, le pas qui sépare les locataires des propriétaires. Désormais leur choix était fait ; leur deuxième enfant – une fille selon les assurances de la dernière échographie – ferait ses premiers pas dans un jardin bien à elle et à sa famille. Mais même si sa naissance n'était prévue que dans cinq mois, qu'il fallût bien en compter douze de plus pour qu'elle se hasarde à marcher, il était néanmoins grand temps d'acquérir un terrain ; urgent aussi d'y faire bâtir cette maison dont Antoine et Cécile rêvaient depuis leur mariage, six ans plus tôt. Déjà, depuis deux ans, ils jugeaient un peu exigu l'appartement qu'ils occupaient dans la sous-préfecture dont ils étaient l'un et l'autre originaires. Il était vrai que leur fils – Thibault, quatre ans – occupait de plus en plus de place, faisait beaucoup de bruit et ne se privait pas de dire que le couloir où il jouait était bien trop petit pour pouvoir y apprendre à faire du vélo ! Sa mère, quant à elle, souhaitait une chambre de plus pour accueillir la petite fille à venir – elle s'appellerait Élodie –, une cuisine un peu plus vaste et une salle de séjour où l'on n'aurait pas l'impression d'étouffer dès que six personnes y évolueraient en même temps. Enfin, plus l'occupait sa profession, plus Antoine souhaitait disposer d'une pièce dans laquelle il pourrait travailler au calme. Bref, les trois membres de la famille Peyroux aspiraient à un peu plus d'espace vital et, à tant faire que de déménager, autant que ce soit dans un logement plus grand qui, tout en étant à un quart d'heure du centre-ville, n'en serait pas moins en pleine campagne.

Aussi, bien décidé à conduire cette affaire avec le même sérieux et le dynamisme qu'il mettait à gérer son métier de représentant en machines-outils, Antoine, dès la décision prise de devenir propriétaire, s'était mis en quête de l'emplacement idéal. Et il l'avait trouvé, là, dans ce joli lotissement récemment créé, bien exposé, desservi par une sympathique petite route peu fréquentée et dans lequel surtout, vu sa surface, il n'y aurait jamais plus de dix maisons, le rêve !

En relation avec maître Lardy depuis que leur choix était arrêté, Antoine et Cécile avaient vite noté le peu d'enthousiasme du notaire lorsqu'ils lui avaient fait part de leur choix. Mais jamais, jusqu'à ce jour, maître Lardy n'avait été aussi ferme dans ses propos.

« Mais il est vrai, pensa Antoine, que nous ne lui avons jamais demandé son avis aussi directement ! »

— Vous m'excuserez, maître, insista-t-il, mais que reprochez-vous à ce lot ?

— Asseyez-vous. Surtout vous, madame, invita le notaire. Voilà, je vais être franc, dit-il lorsque le couple eut pris place dans les fauteuils, complètement défoncés et au cuir élimé, qui meublaient l'étude depuis au moins dix lustres. Oui, je vais être franc, poursuivit-il, d'abord parce que vous m'avez demandé mon avis, ensuite parce que vous m'êtes sympathiques. Vous voulez bâtir ? Très bien mais, comme je l'ai toujours dit à mes propres enfants, c'est sérieux, une construction ! Oh, je sais, dit-il en notant l'air étonné de ses vis-à-vis, je ne mets pas en cause votre désir de vouloir être propriétaires. Mais puisque j'ai très largement l'âge d'être votre père, cela me permet de vous demander : vous voulez bâtir ? Oui, mais quoi ?

— Une maison, naturellement ! dit Antoine, étonné par la question et déjà un peu irrité par la tournure que prenait la conversation.

— Une maison, certes ! Mais laquelle ? Ne répondez pas, je connais la suite. Vous m'avez fait part de vos possibilités financières et de votre hâte d'avoir un toit bien à vous. J'en déduis donc que, sauf si par miracle vous gagnez au loto, votre maison sera un plan courant de bas de gamme, sans aucun caractère, pour ne pas dire laid. Une vilaine guérite tracée sur ordinateur par un bureau d'études composé de prétendus architectes qui se prennent tous pour Le Vau ou Mansart mais qui, pour rien au monde, ne voudraient loger dans ce qu'ils vont vous vendre clé en main ! Un logement de quatre-vingt-dix mètres carrés, aux murs de parpaings, au méchant crépi obligatoirement coloré selon le diktat d'un prétentieux petit sous-chef de l'urbanisme, au toit de tuiles mécaniques et à l'aménagement intérieur peut-être fonctionnel mais d'un manque total d'originalité et de solidité. Pour résumer, vous vous préparez à acheter un banal clapier qui, d'ici à vingt-cinq ans et alors que vous aurez à peine fini de rembourser vos emprunts, sera déjà quasiment en ruine ! C'est d'ailleurs prévu pour cela !...

— Je ne vois vraiment pas où vous voulez en venir ! coupa Antoine, de plus en plus agacé. Après tout, ce que nous désirons bâtir ne regarde que nous !

— Bien entendu ! Mais vous m'avez demandé mon avis, alors je vous le donne, même au risque de vous choquer.

— Vous n'aimez pas les maisons modernes ? intervint Cécile, étonnée, elle aussi, de la diatribe du notaire.

— Pas beaucoup, madame, car exceptionnelles sont celles qui ont une âme.

— Une âme ? insista la jeune femme.

— Oui. Une vie, si vous préférez, un passé, une existence ; cette sorte de charme qui, si je puis me permettre, donne le sentiment que la maison respire, qu'elle est unique et qu'il fait bon s'y abriter, y élever sa famille, y recevoir ses amis, y travailler. Et même, oui, y finir ses jours en sachant que vos enfants ou vos petits-enfants y vivront à leur tour et que les murs continueront à leur parler de vous. Rien de commun donc avec les impersonnels plans courants qui dénaturent et mitent nos paysages !

— À vous entendre, on pourrait croire que vous avez mieux à nous proposer ! lança Antoine avec une once de défi dans la voix.

— Tout juste, dit maître Lardy en ouvrant un des tiroirs de son bureau.

Il en sortit un classeur dans lequel il puisa plusieurs photos.

— Tenez, dit-il en les posant sur la table, regardez-moi ça et si vous me dites que cette bâtisse n'a pas plus fière allure que les casemates à la mode qu'on vous propose, c'est que je me suis trompé sur votre compte. Nous n'aurons donc plus qu'à signer l'acte d'achat de cette parcelle numéro cinq, située au centre de ce lotissement pompeusement baptisé « Les Érables » alors qu'on ne trouve pas un seul de ces arbres à vingt kilomètres à la ronde ! Alors ? insista maître Lardy.

— Vous n'êtes pas sérieux ! C'est une farce ! dirent ensemble Antoine et Cécile après avoir regardé les clichés.

— Si, je suis très sérieux ! assura maître Lardy.

— Mais c'est une ruine ! protesta Antoine.

— Pas tant que ça ! Elle paraît être en ruine, mais, voyez-vous, ce petit manoir est d'un temps où l'on avait à cœur de construire du solide ! Une maison, tout comme une cathédrale, était faite pour affronter les siècles ; la preuve, celle-ci date de 1620 comme en témoignent les blasons qui ornent ses deux cheminées et surtout comme le prouve sa charpente, dûment estampillée par les marques propres aux compagnons charpentiers qui l'érigèrent.

— D'accord, coupa Antoine, mais comme il n'est pas question que nous nous lancions dans la coûteuse réparation de ce… ce « monument », restons-en là et signons l'acte d'achat de ce lot numéro cinq !

— Très bien, dit maître Lardy en regroupant les photos. Alors, aucun regret ? insista-t-il.

— Non, dit Antoine.

— Mais pourquoi vouliez-vous nous la vendre ? demanda Cécile.

— Parce que je pensais que vous méritiez d'avoir une vraie et belle maison ; et celle-ci, une fois restaurée, sera magnifique ; elle est déjà si attirante !

— Peut-être, dit la jeune femme, mais pourquoi spécialement elle ?

— Voilà la vraie et bonne question, dit maître Lardy en souriant. Oui, entre cette maison et moi, c'est une histoire de… de sentiments, ou de famille si vous préférez. L'étude que je dirige depuis près de cinquante ans me vient de mon père. Il la tenait de son propre père qui lui-même… Bref, c'est en 1840 que mon arrière-arrière-grand-père acheta l'immeuble où nous sommes et sa charge de notaire. Et savez-vous quel fut le premier acte qu'il passa ? La vente de cette maison que j'aurais aimé vous voir faire revivre, elle le mérite ! L'amusant de l'histoire, c'est que cent soixante ans plus tard ce soit à moi, qui la connais bien, d'avoir à la revendre. Oui, c'est à mon tour de trouver les acquéreurs qui vont la faire revivre. Et, comme elle me plaît beaucoup et que vous aussi vous me plaisez, je vous l'ai proposée. Ce n'est pas pour m'en débarrasser et j'irai jusqu'à dire que, travaux et aménagements compris et avec le demi-hectare qui l'entoure, elle ne coûtera guère plus cher que le plan courant qui vous tente. Et elle, contrairement à lui, sera encore là dans un siècle. Et puis regardez-moi cette allure, cette classe, cette beauté !

— C'est vite dit, intervint Antoine en observant de nouveau les photos. D'abord le toit doit prendre l'eau à pleins seaux ; quant aux murs et à l'agencement intérieur, je n'ose même pas y penser !

— Et vous avez tort. Le toit est en moins mauvais état que vous ne le croyez, il fut conçu pour défier les siècles. Quant aux murs, ils ont en moyenne un mètre vingt d'épaisseur et seront encore debout bien après nous ! Si vous ajoutez à cela que la surface au sol est de cent soixante-quinze mètres carrés, ça vous permet d'envisager un aménagement intérieur exceptionnel !

— Elle date vraiment de 1620 ? demanda Cécile.

— Oui, madame. Je le sais grâce aux archives départementales qui font état de ses premiers propriétaires. Mon ancêtre, un sentimental lui aussi, qui voulait conserver la trace de son premier acte officiel, les avait fait copier par son clerc. Et c'est parce que je la connais bien que je ne veux pas la céder à n'importe qui. J'aimerais qu'elle ait autant d'avenir qu'elle a de passé. Que toute la mémoire de ses pierres se charge encore de quelques siècles de bonheur, de travail, d'amour, de rires d'enfants, de vie !...

— Mais si telle a été, jadis, son... « existence », pourquoi est-elle en si piteux état ? coupa Antoine.

— Je vais vous en donner la raison. Mais avant, laissez-moi vous conter brièvement son histoire. Elle fut donc bâtie, début XVIIe, par Engueyrant du Pibole de Serve, conseiller au présidial de notre ville. Outre sa fonction, Engueyrant possédait aussi autour de la maison une propriété qui couvrirait aujourd'hui quelque cent cinquante hectares, une belle fortune donc. C'est ce qui explique la taille de la bâtisse et, pour l'époque, le luxe qu'étaient ses cheminées fin Renaissance, son escalier en demi-cercle, son porche, ses linteaux magnifiques, ses montants de fenêtres et de portes à colonnes, tout ce que vous voyez là, enfin, ce qu'il en reste..., dit en souriant maître Lardy devant l'air de plus en plus dubitatif du jeune couple. Elle resta dans la famille du Pibole de Serve jusqu'en 1840. Entre-temps, un des descendants du premier propriétaire devint un authentique révolutionnaire. Pas un tendre, paraît-il, un ultra qui pour se mettre au goût du jour abandonna, ou plutôt estropia, son nom de famille ; il laissa tomber du Pibole de Serve et devint tout simplement Deserve. Manque de chance pour lui, à force de se vouloir sans noblesse, sans particule et ami des sans-culottes, il se retrouva sans tête, c'était fréquent dans les années 1792… Il avait deux filles ; l'aînée hérita mais ne se maria pas. À sa mort, en 1810, un de ses neveux reçut l'héritage. Fait amusant, autant son grand-oncle avait renié ses origines, autant le nouveau propriétaire était fier des siennes qui, côté paternel, se perdaient dans la nuit des temps. Il s'appelait Charles de Laroque du Grival et fit une très belle et riche carrière dans l'armée, à tel point qu'il devint général. Ce fut sans doute une période très faste pour la maison et il me plaît d'imaginer ce que furent les soirées au cours desquelles le général recevait ses nombreuses relations et aussi, veuillez m'excuser, madame, ses maîtresses. Oui, il tomba veuf et sans descendance deux ans après son mariage, il avait alors quarante ans et… Passons. Mais tout a alors commencé à partir à vau-l'eau. Sans héritier direct, ce furent trois de ses petites-nièces qui se partagèrent le domaine. Elles s'empressèrent de le morceler et de négocier tout ce qui pouvait l'être, maison comprise bien entendu. C'est ainsi que mon arrière-arrière-grand père la vendit à un riche propriétaire terrien. Celui-ci la légua à son fils, un sombre crétin plus paresseux qu'une couleuvre, qui, après avoir dilapidé la quasi-totalité de ses biens, décida un jour qu'une seule pièce lui suffisait pour vivre. Il élevait des moutons, alors, je vous le donne en mille, il transforma le reste de la maison en bergerie !

Eh oui ! Et dans les deux cheminées Renaissance cet imbécile installa des râteliers ! Quant à l'étage au parquet de chêne et aux chambres qu'il abritait, il en fit un fenil… Quand je vous dis que cette maison a une véritable histoire !…

— Certes et ça explique son piteux état, dit Antoine.

— Ça pourrait être pire ; lorsque ce triste individu mourut, célibataire et sans descendance, ce sont ses cousins qui ont hérité. Ils voulaient vendre, aussi remirent-ils à peu près tout en état ; enfin, je veux dire par là qu'ils nettoyèrent l'intérieur et passèrent les murs au lait de chaux. Il faut comprendre, l'odeur des moutons faisait fuir les éventuels acquéreurs ! Oui, ils voulaient vendre, mais ils se sont brouillés. Certains étaient prêts à signer quand les autres refusaient, et vice versa chaque fois que l'un d'entre eux exigeait la vente. Ça a duré quarante ans et ce n'est que depuis cinq ans qu'un seul et dernier propriétaire m'a chargé de la vente. Voilà pourquoi je dis que cette maison a un passé, une histoire, une âme. Voilà pourquoi j'aurais aimé vous voir la prendre ; avec vous elle aurait ressuscité, pour des générations.

— Comment cela ? demanda Cécile.

— C'est simple, madame, vous avez déjà un fils, bientôt une fille, m'avez-vous dit, ils vous succéderont, prendront la relève. Vous l'avez bien compris, cette maison a vécu sa vraie et belle vie tant que des enfants ont été là pour l'animer, l'entretenir, l'embellir. Et puis, un jour, faute de rires d'enfants elle a quasiment cessé de respirer, d'exister, elle a perdu son âme. Et j'aurais tant aimé que vous soyez ceux qui la lui rendront. Tenez, je peux encore faire baisser le prix, le vendeur ne demande qu'à s'en débarrasser, pensez, il habite aux États-Unis ! Oui, et si vous l'achetiez, je vous trouverais de vrais artisans, ils sont rares mais j'en connais.

Ils vous la remettront en état. Je vous dénicherais des hommes qui savent encore doser et gâcher le mortier, tailler les pierres, tenir une truelle, refaire les joints, réparer ce qui doit l'être.

« Je vous enverrais aussi des maîtres couvreurs, des artistes qui connaissent l'ardoise et sa pose, pas des bricoleurs qui savent juste aligner des tuiles mécaniques et encore. Oui, pour tout je connais quelques sérieux artisans, des hommes qui aiment la belle ouvrage, des amoureux de leur travail qui auront à cœur de rendre vie à cette maison dont vous ne voulez malheureusement pas. Enfin, reconnaissez que j'aurai tout fait pour vous convaincre…

— Ah ça…, murmura Antoine en observant sa femme qui s'était replongée dans la contemplation des photos.

— Après tout, chéri, dit-elle enfin, ça ne coûte rien d'aller la voir. Maître Lardy a raison, ça a de l'allure une vieille maison, une mémoire, et une âme aussi…

— La voir ? dit Antoine après un instant de réflexion et en regardant maître Lardy. Quand ?

— Tout de suite si vous voulez, décida le notaire.

— Allons-y !

« Antoine et Cécile Peyroux et leurs enfants sont heureux de vous inviter à venir rependre les crémaillères qui n'auraient jamais dû quitter des cheminées bâties sous le règne de Louis XIII par Engueyrant du Pibole de Serve, bâtisseur de leur tout jeune et pourtant si vieux logis... »

Angelina et José

Ils arrivèrent au hameau à la fin d'un sombre après-midi de décembre 1964. Ce jour-là, un brouillard glacé, aux nappes épaisses et sales, pétrifiait tout le pays. Il s'insinuait partout et déformait tout, écrêtant le sommet des puys, avalant les vieilles châtaigneraies, absorbant des pans entiers de prairies et de champs. Avec lui, tout devenait mirage. Même les bruits n'étaient pas francs, ils ne sonnaient pas clair. Ils trompaient l'oreille aussi, rendaient bêtes et gens méfiants, car le moindre meuglement de vache au fond d'une étable devenait feulement inquiétant. Inquiétant aussi ce soudain crissement. Il provenait du bout du chemin, là-bas, vers le tournant noyé dans la brume ; un bruit régulier, lancinant, inhabituel, mais surtout inconnu, et qui se rapprochait du hameau.

« Qu'est-ce que c'est que ce bestiau ? » se demanda le père Bordes en essayant d'apercevoir à travers le brouillard l'auteur de ce lugubre chant.

Depuis plus de deux heures le père Bordes traquait une bécasse dans les taillis de la Renardière, à cinquante pas de ce couinement maintenant aussi énervant que le criaillement d'une girouette mal huilée, agacée par un vent follet.

Déjà irrité par les invraisemblables ruses de la bécasse qu'il avait tirée cinq fois sans aucun succès et dont il venait, à l'instant, de perdre encore une fois la trace, le père Bordes dévala la pente qui surplombait le chemin, se campa au milieu de la chaussée et attendit, bien décidé à voir la bête – ou l'homme – capable de produire un son aussi déchirant.

Et il vit ! Émergeant de la brume, il aperçut une espèce d'attelage bizarre que la disproportion flagrante qui existait entre sa taille et son volume rendait tout à fait grotesque. Il vit une toute petite remorque à deux roues, littéralement écrasée par quatre mauvaises valises de carton bouilli, elles-mêmes couronnées d'un couffin d'où s'élevaient quelques pleurs, le tout poussé par un homme et une femme recroquevillés l'un contre l'autre par le froid. Et c'étaient les roues de ce véhicule qui émettaient cet odieux grincement !

— Non mais, qu'est-ce que c'est que ça ? murmura le père Bordes.

Et puis soudain, il se souvint. Pardi, ces deux-là, avec leur gosse perché sur les valises, c'étaient les locataires qu'on attendait au hameau depuis plus d'un mois ! Les étrangers qui allaient loger chez la mère Mouly ! Enfin, dans cette masure qu'elle avait habitée jusqu'à sa mort, dix ans plus tôt, et que ses neveux de la ville venaient de mettre en location. D'ailleurs ils ne manquaient pas d'audace, ces gens-là, en osant louer cette ruine dont le toit prenait l'eau comme une éponge !

— Alors vous voilà ? Eh bien, vous êtes réussis comme pèlerins. Non mais, quelle allure ! ricana le père Bordes.

Oh, ce n'était pas un rire méchant, il était juste un peu moqueur et simplement déclenché par l'apparition de cet ahurissant équipage. Car ils prêtaient vraiment à rire, les nouveaux venus, du moins vus de loin…

Car maintenant qu'ils étaient tout près, que le père Bordes les avait pour ainsi dire sous le nez, il n'avait plus envie de rigoler, le chasseur de bécasses. Mieux, il se sentait un peu gêné d'être là, avec sa mine réjouie, sa petite bedaine cossue, ses mains bien au chaud dans les poches matelassées de sa veste de chasse ; bref, d'être là, tranquille, repu et fier de sa cinquantaine bien assumée, devant ces pauvres bougres qui suaient la misère et l'indigence. Même le bébé qui vagissait dans le couffin avait une petite mine. Il n'était pourtant pas maigrichon et ne semblait pas malade, fatigué tout au plus par un trop long voyage ; peut-être aussi qu'il avait faim.

Quant à ses parents, ils tremblaient de froid, mais souriaient néanmoins bravement.

— Village, ici ? demanda l'homme.

— Oui, oui ! acquiesça le père Bordes en dévisageant les nouveaux venus.

Il leur trouva décidément piteuse allure et en voulut soudain au monde entier d'obliger de pareils miséreux à traîner les routes en cette saison, surtout avec un bébé qui avait peut-être faim !

— Bon, décida-t-il soudain, je sais où vous allez, suivez-moi, et c'est bien le diable si, avant peu, ce gosse n'a pas un bol de lait dans le ventre ! Miladiou, on n'est quand même pas des bêtes ! Allez, venez ! Mais, par pitié, essayez de faire taire cette maudite carriole, elle me perce les oreilles !

C'est ainsi que les Miguel, qui arrivaient tout droit du Portugal, entrèrent au hameau. Ils ne possédaient rien, rien sauf un courage inébranlable.

Si quelques habitants du hameau assurèrent qu'il fallait se défier des nouveaux venus, car tous ces étrangers n'étaient jamais très catholiques, la majorité des gens du pays accepta vite et reconnut, tout aussi rapidement, que les Miguel étaient de sacrés travailleurs. Des bûcheurs comme on n'en faisait plus depuis longtemps. Des gens qui travaillaient comme on savait le faire jadis, en se donnant à fond, en employant chaque minute au maximum, en faisant argent de tout et en n'oubliant jamais la valeur d'un quignon de pain.

Ce n'est pas qu'on était fainéant au hameau, loin de là, mais il y avait quand même longtemps qu'on avait abandonné cette forme et cette cadence de labeur. C'est simple, seuls les anciens pouvaient encore se vanter – et ne s'en privaient pas, les bougres de bavards ! – d'avoir, dans leur jeunesse, c'est-à-dire bien avant la mécanisation, les tracteurs et autres engins, travaillé au même rythme et avec la même obstination que les Miguel.

Lui, José, surprit tout le monde dès le premier matin lorsqu'on le vit partir en direction de la nationale pour y attendre le car qui descendait en ville. On sut, quelques semaines plus tard, qu'un sien cousin l'avait fait embaucher dans la même entreprise de maçonnerie que lui. Musette à l'épaule, il traversa le hameau d'un bon pas, saluant au passage les quelques hommes et femmes qui se rendaient aux étables pour y soigner les bêtes, calmant les chiens de la voix, exactement comme s'il avait vécu au pays depuis sa naissance !

Et pourtant, il baragouinait une langue tout à fait étonnante et sans grand rapport avec le patois limousin. Malgré cela, les chiens, « qui ne parlaient pas portugais », comme le déclara sans rire la mère Coste, les chiens se taisaient à son passage. Bref, le nouveau venu étonna.

Quant à Angelina, sa femme, elle stupéfia tous ses voisins lorsque, armée d'une vieille bêche trouvée dans la masure, elle s'attaqua au lopin qui cernait la bicoque ; un carreau d'à peine quarante mètres carrés mais qui, à lui seul, était plus chargé de ronces, d'orties et de chiendent que tous les jardins potagers de la commune.

Sans hâte, Angelina aborda la plate-bande qui n'avait pas senti d'outil depuis plus de dix ans ; elle se mit au travail avec une obstination et un savoir-faire qui ne trompèrent personne. Cette femme connaissait la terre et elle n'en était pas à son premier labour ! Mais celui-ci devait l'épuiser tout particulièrement car les voisins s'aperçurent vite que la jeune femme était enceinte d'au moins six mois ! Malgré cela, patiemment, en prenant soin d'extraire à la main le plus petit rhizome ou rejet que recelait chaque chargement de bêche, elle retourna le lopin.

Elle bêcha toute la journée, ne s'interrompant que pour aller nourrir son gamin, entretenir le feu dans l'unique cheminée de la masure et, à midi, pour manger, debout, un morceau de pain et une gousse d'ail trempée dans une cuillerée d'huile d'olive. Au soir, le jardin était propre, prêt à recevoir son lot de pois et d'oignons blancs.

Plus de vingt ans après leur arrivée au hameau, les Miguel font partie du pays et sont heureux. Oh, certes, bien qu'ils n'aient pas encore atteint cinquante ans, ils ressemblent déjà à des petits vieux. Car le travail les a usés, courbés, racornis, déformés. Ils ont tellement abusé de leurs forces, tellement pris l'habitude de remplir chaque minute qu'ils ne sauraient plus s'arrêter de travailler, même s'ils en avaient les moyens. José et Angelina savent bien qu'ils s'ennuieraient s'ils s'arrêtaient ! Alors, il court toujours les chantiers et il est content car, de manœuvre qu'il était jadis, il est aujourd'hui chef d'équipe et il a même des Français sous ses ordres, des jeunes certes, mais des Français quand même !

Quant à Angelina, elle s'occupe toujours des multiples parcelles qu'ils ont louées, ici et là, de mauvaises friches en pente dont personne ne voulait, qu'elle travaille maintenant avec un petit motoculteur et dont elle a réussi à faire des terrains maraîchers. Trois fois par semaine, elle descend en ville vendre ses légumes au marché ; elle a aussi des lapins, des poules et quelques pigeons.

Mais leur vraie réussite n'est pas là. Et elle n'est pas non plus dans cette petite maison que José est en train de construire à la sortie du hameau ; une maison qui sera à eux, qui les transformera en propriétaires et qu'ils pourront revendre si, un jour, quand ils seront vieux, le soleil du Portugal les appelle…

Tout cela, c'est bien, mais ça ne compte pas à côté de l'événement qui va couronner ce jour de décembre 1985 et que tous les gens du pays vont pouvoir apprécier. Tout à l'heure, la petite Fatima, celle qui est née ici, trois mois après leur arrivée, va épouser Juan, un très gentil garçon de trente ans, propriétaire, oui, propriétaire d'une petite entreprise de maçonnerie, celle où Manuel, leur aîné, travaille depuis plus de six ans.

Voilà la vraie réussite des Miguel, celle qui les réjouit le plus et qui, pour l'heure, les rend tout fébriles dans l'attente de Manuel qui va venir les chercher avec sa voiture, une splendide auto qu'il a achetée d'occasion, un véhicule magnifique, signe incontestable de sa réussite sociale.

Le vieux père Bordes jura sourdement et rechargea son fusil. Décidément ces cartouches ne valaient rien ! Comment expliquer autrement qu'il ait pu louper cette bécasse qui venait de lui partir dans les bottes ! Et le pire, c'est qu'avec ce maudit brouillard il n'avait même pas pu voir où elle s'était remisée. Il siffla son chien et descendit vers la route.

Il venait de l'atteindre lorsqu'une cacophonie épouvantable retentit soudain dans le brouillard ; un mélange discordant – mi-corne de brume, mi-fanfare municipale – qui perçait les tympans et agaçait les dents.

— Qu'est-ce que c'est que ce cirque ? grommela le vieux père Bordes en expédiant, pour le faire taire, un coup de pied à son chien qui, pris de panique, hurlait à la mort.

Le vacarme progressa dans le brouillard, s'amplifia, s'approcha.

Et brusquement, crevant la brume, mugissant à pleins klaxons, huit véhicules enrubannés défilèrent devant le père Bordes, médusé. C'est dans la dernière voiture, une énorme Mercedes rouge sang dont les avertisseurs modulaient, à pleines trompes, « Le pont de la rivière Kwaï », qu'il reconnut, béats, aux anges, transfigurés par le bonheur, Angelina et José Miguel.

Et ils avaient l'air si heureux, moelleusement engloutis dans la banquette, que le père Bordes, qui devenait très sentimental en vieillissant, se surprit, ému, à ressentir un petit pincement du côté du cœur en souvenir d'un après-midi de décembre 1964…

— N'empêche, grogna-t-il, histoire de ne pas céder à des sentiments trop émouvants, ces bougres-là ne peuvent pas passer sur cette route sans ameuter tout le pays, c'est une manie !

Et il essuya furtivement ses yeux qui, à cause du brouillard sans aucun doute, étaient un peu larmoyants…

AOÛT 1960 – AFN

Histoire d'eau

Prudent et surtout soucieux de ne pas se saper le moral, Dominique Jobert s'était toujours gardé de décompter les jours d'armée qu'il avait encore à accomplir.

Parce que, franchement, attaquer son service en juillet 1958 et se dire qu'il ne s'achèverait pas avant fin septembre 1960 – si tout allait bien ! – était désespérant ! Stupide aussi, car il ne servait à rien, comme le faisaient certains de ses camarades de beugler chaque jour, et dès le premier : « C'est du tant au jus ! » Quand on doit commencer à « Huit cent vingt-deux à tirer ! » cela relève du masochisme.

Aussi, pendant plus de deux ans, le canonnier, puis brigadier et enfin maréchal des logis Dominique Jobert s'était astreint à ne pas trop calculer le nombre de jours pendant lesquels il devait encore porter l'uniforme. Mais cela ne l'empêchait pas, certains soirs, après quelques canettes de Pils vidées avec ses compagnons de classe de beugler : « La quille, bordel ! » et de savoir pertinemment qu'il lui restait encore beaucoup de mois à accomplir avant de rejoindre sa Sologne natale. C'était là-bas, où il faisait si bon vivre au milieu des étangs, que le portaient tous ses rêves lorsque, par quarante-cinq degrés à l'ombre des étés sahariens qu'il subissait depuis deux ans, lui revenaient des souvenirs de baignades, de pêche et de ces petits matins brumeux quand, accompagné par son épagneul, il chassait dans les taillis et les bois tout ruisselants d'humidité.

C'était aussi là-bas que l'attendait, avec une constance de Pénélope et une patience digne d'éloge, Brigitte, sa petite fiancée, aussi fine et gracieuse qu'une fauvette des roseaux et aux lèvres aussi douces qu'un pétale d'iris d'eau. Enfin, c'était toujours là-bas qu'il avait sa place et son travail dans le magasin d'articles de chasse et pêche que son père gérait et qu'il lui destinait.

Mais si, pendant plus de deux ans, Dominique Jobert s'était efforcé de ne point trop penser à sa libération, il s'autorisait désormais non seulement à le faire, mais encore à peupler ses pensées de projets, de plans, de décisions à prendre, de bonheur à vivre, sous peu, bientôt… Car ce n'était plus en centaines de jours qu'il fallait compter le temps qu'il lui restait à accomplir, ni même en mois, tout juste en semaines ! Et ça, c'était un vrai, un grand bonheur. Parce que même si les derniers quinze jours, voire les trois cent soixante dernières heures semblaient de plus en plus longs, que représentaient deux petites semaines après les cent six déjà écoulées, rien ! Enfin presque rien.

Aussi, en cette fin de nuit du 15 septembre 1960 et alors que la température de sa chambre frisait déjà les trente-cinq degrés, c'est en chantonnant que le maréchal des logis Jobert se lava au maigre filet d'eau tiédasse que crachotait le robinet rouillé de son lavabo.

Le jeune homme était heureux, pleinement, sans aucune retenue. D'abord, outre le fait qu'il n'avait plus, au total, que quinze jours à tirer, il ne lui en restait que deux à faire dans ce camp perdu dans le *garet* El-Medjbed, au lieu-dit B2 Namous, où il venait de passer près de deux mois. C'était un de ces minuscules points encerclés de barbelés, isolés au centre d'une hamada sans fin qui fuyait vers l'est et le sud jusqu'au Grand Erg occidental, en une étendue de reg si désolé et brûlant que sa seule contemplation, surtout sous le soleil, donnait aussitôt l'envie de chercher une impossible retraite à l'ombre et de porter à ses lèvres une gargoulette ou une *guerba* pleine d'une eau qui, sans être jamais fraîche, n'en était pas moins sublime !

Situé à quelque quatre-vingts kilomètres au nord-est de Béni Ounif, sur la piste désolée qui grimpait vers Benoud et le djebel Amour, le camp abritait quatre sections d'appelés dont le rôle était de surveiller plusieurs centaines de kilomètres carrés de territoire classés zone interdite pour tout autre que les militaires. Il était vrai que la frontière qui séparait l'Algérie du Maroc, d'où venaient parfois les fellaghas *via* la région de Figuig, n'était qu'à moins de cent kilomètres (soit deux nuits de marche forcée pour des moudjahidines bien entraînés). Elle passait là-bas, plein ouest, dans le djebel Grouz dont Dominique contemplait de sa chambre les sommets si caractéristiques car découpés comme les dents d'une gigantesque scie violette mordant le bleu plomb du ciel.

Par chance, depuis son arrivée au poste par un torride après-midi de juillet – la température frisait les quatre-vingt-cinq degrés au soleil –, aucun rebelle n'avait jugé bon de venir troubler la torpeur comateuse qui planait sur tous les pensionnaires du camp, du lever au coucher du soleil. Aussi, mis à part quelques rares et administratives occupations propres à son état de sous-officier, Dominique avait meublé son temps grâce à d'interminables parties de belote, à des siestes tout aussi longues et, le soir venu, histoire de se réhydrater, à l'absorption de quelques canettes de Pils.

Heureusement, une fois par semaine, il avait rompu la pesante monotonie des jours – dont il était impossible de dire lequel était le plus ennuyeux et chaud – en partant chasser la gazelle dans la hamada. Expédition qui exigeait non seulement de bons tireurs mais surtout un chauffeur remarquable. C'était lui qui, au volant de son GMC, fonçait à pleine vitesse sur les hardes dès qu'elles étaient repérées. La poursuite était souvent longue et non dépourvue de danger car le sol, jonché de cailloux, de rocaille, d'énormes blocs de lichen gorgés de sable et durcis au soleil et parfois même d'imprévisibles crevasses, demandait une parfaite maîtrise du véhicule. Et il n'était pas rare que les accidents du terrain rendent impossible une approche valable du troupeau en fuite dans lequel il fallait fusiller au Mas 36 les plus beaux mâles lancés en pleine course.

Malgré ces aléas, Dominique et les quatre tireurs qui l'accompagnaient n'étaient jamais rentrés bredouilles. C'était heureux car, très au-delà de la chasse proprement dite qui ne représentait qu'un intérêt limité, le bonheur était avant tout de ramener au camp de quoi festoyer sans retenue. Festoyer, mais surtout changer un peu l'ordinaire infâme concocté par on ne savait quel officier d'intendance, sans doute imbibé d'anisette jusqu'aux yeux, qui, bien au frais dans son bureau climatisé de Colomb-Béchar, s'ingéniait à expédier au camp des rations principalement composées de cassoulet en boîte, de mauvaise choucroute, de tripes, de thon au naturel, de riz et de lentilles – denrées à peine comestibles sous une température décente et qui devenaient immangeables par quarante-cinq degrés à l'ombre !

Aussi les gazelles, et parfois même quelques lapins, étaient accueillis avec allégresse par les affamés du camp, et tous l'étaient. Bien entendu, à force de pourchasser les hardes, celles-ci se tenaient de plus en plus éloignées et, prudentes, détalaient dès qu'elles apercevaient au loin la poussière soulevée par les véhicules. Malgré cela, même s'il fallait jusqu'à deux ou trois heures de piste avant de pouvoir tirer le premier mâle, la viande de gazelle figurait au menu chaque soir de chasse.

« Et ce sera pareil aujourd'hui », pensa Dominique tout en avalant le bol de café soluble qu'il venait de se préparer. Cela fait, il enfila son treillis et ses pataugas, se coiffa de son chapeau de brousse, prit ses deux gourdes pleines de thé et sortit dans la cour.

La nuit était encore presque complète même si, déjà, au levant, la ligne d'horizon de la hamada s'animait, se frangeait d'un filet pâle qui, sous peu, deviendrait un époustouflant bouillonnement d'or en fusion.

— Tout le monde est là ? demanda le sous-lieutenant Carvert en reconnaissant Dominique.

— Sans doute, acquiesça ce dernier en comptant ses hommes.

Il y avait là le brigadier Pierre Thibault, de Paris, le première classe Alain Vidélo, de Grenoble, le canonnier Paul Travers, de Cambrai, Gérard Le Goff, canonnier lui aussi, du Guilvinec, et enfin, Marcel Moulin, de Toulouse, le chauffeur, un as du volant et du double débrayage, une valeur sûre.

— Alors ? insista le sous-lieutenant.

— C'est bon, assura Dominique.

— Eh bien, en route, dit l'officier en grimpant dans son propre GMC où l'attendait déjà la deuxième équipe de chasseurs. Ah, au fait, ajouta-t-il en s'arrêtant sur le marchepied, j'ai fait mettre le fût d'essence dans votre bahut ; on va filer plein sud vers le garet El-Guefoul et c'est à plus de deux heures d'ici, alors il faut prévoir large pour le carburant et la flotte, mais elle, c'est nous qui l'avons.

— Très bien, acquiesça Dominique en s'installant à côté du chauffeur. Tu sais où on va ? lui demanda-t-il.

— Non, pas du tout, on n'a jamais été dans ce coin, enfin autant au sud…

— Alors ne les perds pas de vue, mais reste quand même assez loin d'eux pour ne pas bouffer toute leur poussière. Allez, roule ! intima Dominique.

« Quinze au jus, pensa-t-il en souriant, ce soir la fiesta avec les copains pour arroser mon départ, après-demain descente sur Béchar et ensuite la quille ! »

La journée s'annonçait splendide ; grâce à la vitesse du camion et à la cabine grande ouverte, la chaleur n'était pas encore insupportable et, comme chaque matin, se répétait l'éblouissant et merveilleux spectacle du soleil se levant sur la hamada.

« Ça, c'est le vrai bonheur ! » faillit lancer Dominique.

Mais il se retint car, il le savait, son voisin avait, lui, encore quinze mois à tirer, soit plus de quatre cent cinquante jours…

Ce fut après onze heures et alors que la chaleur se faisait de plus en plus oppressante que Dominique commença à s'inquiéter. Oh, à peine, juste un petit pincement côté cœur, un agacement dû au fait qu'il ne voyait plus le camion du sous-lieutenant Carvert. Or celui-ci lui avait bien promis de ne jamais le perdre de vue…

Tout s'était pourtant jusque-là parfaitement déroulé. La première gazelle avait été abattue vers huit heures, soit après trois heures de piste. Sept autres l'avaient rejointe en moins d'une heure. Aussi est-ce dans la plus parfaite bonne humeur que Dominique et ses hommes s'étaient arrêtés pour casser la croûte ; et le GMC du sous-lieutenant était lui aussi arrêté à moins d'un kilomètre de là, de l'autre côté d'un talweg.

Repus et surtout bien désaltérés, tous avaient repris la chasse. Poursuite zigzagante à travers les premières dunes et les rochers, mais riche de gazelles. Désormais, c'étaient vingt-deux bêtes – prestement éviscérées sitôt abattues pour éviter que la chaleur ne les rende immangeables – qui s'entassaient sous la bâche, à l'arrière du véhicule. Un fameux tableau et un fameux festin en perspective, surtout si les chasseurs de l'autre camion avaient été aussi adroits que la fine équipe de Dominique. Mais l'autre camion, justement…

— Tu sais où il est ? demanda Dominique à son voisin.

— Qui ?

— BMC ?

Frais émoulu de Cherchell, totalisant moins d'un an d'armée, le sous-lieutenant Carvert s'était vu affublé, dès son arrivée, d'un sobriquet qu'il n'était pas à la veille de perdre : BMC comme Bertrand-Michel Carvert, mais aussi comme bordel militaire de campagne ! Ce n'était pas très méchant et surtout assez juste, car l'officier avait la réputation d'être très pagaille, tant dans sa tenue que dans les ordres donnés pour distribuer les corvées et les tours de garde. Quant à sa chambre, d'après les bleus qui l'avaient balayée, c'était, paraît-il, un authentique souk dans lequel une chamelle aurait perdu son chamelon !

— Ben non, je sais pas où il est passé, dit Moulin.

— Arrête-toi là-haut, dit Dominique en désignant une petite butte.

— Vous savez où sont les autres ? demanda-t-il peu après aux hommes assis à l'arrière.

— Non, dirent-ils en profitant de l'arrêt pour apaiser une soif déjà bien installée.

— Et ça fait bien une grosse demi-heure qu'on ne les voit plus, estima Le Goff avant de reporter sa gourde à ses lèvres.

Ils étaient déjà tous ruisselants de sueur et, dans leur dos, de longues traces humides et blanchâtres auréolaient leurs treillis.

— Où étaient-ils ? insista Dominique.

— Ah ! ça… vers là-bas, dit le brigadier Thibault en désignant le nord-est.

— OK, ça je l'ai vu aussi, dit Dominique.

Il consulta sa montre, observa le soleil déjà presque au zénith :

— Bon, il faut rentrer si on veut faire la sieste à l'arrivée et ne pas crever de chaud d'ici là. On en a au moins pour deux heures…

— Et le pouce ! dit Moulin en désignant son tableau de bord. Depuis ce matin, on a déjà fait cent quatre-vingt-cinq bornes, alors à guère plus de quarante à l'heure… D'accord, on en a fait pas mal en tournant en rond derrière les bestiaux et on remonte vers le camp depuis un bout de temps, mais quand même. Moi, je dis trois bonnes heures…

— Alors ne perdons plus de temps, décida Dominique en se réinstallant dans la cabine. De toute façon, plaisanta-t-il, on ne tombera pas en panne d'essence, avec un fût quasiment plein ! Allez roule, et *fissa* !

— Pas d'essence, c'est sûr, marmonna Moulin, mais à tant faire que de nous laisser deux cents litres de carburant, l'aurait aussi pu nous laisser cent litres de flotte, le BMC !

— Ah, ça, c'est bien de lui ! murmura Dominique en se souvenant que, non content d'avoir la réserve d'eau, le sous-lieutenant Carvert avait aussi conservé la carte d'état-major et la boussole…

Il soupesa sa deuxième gourde – l'autre était vide depuis longtemps –, estima qu'il lui restait à peu près un litre de thé. « Trois heures, un litre, c'est salement limite, mais faudra bien que ça aille, pensa-t-il. J'espère que les gars ont eux aussi encore un peu de réserve… »

Il faillit le leur demander puis jugea mal venu de leur poser une question qui risquait de les inquiéter bien inutilement : trois heures seraient vite passées. Et, déjà, il se réjouissait à l'idée de la douche qu'il prendrait à l'arrivée. « Et sûr que je me taperai aussi quelques Pils bien fraîches, songea-t-il en passant sa langue sur ses lèvres déjà sèches, une bonne douche, quelques canettes, un fameux dîner et bientôt quatorze au jus ! Dans le fond, c'est le bonheur ! »

Et, peu à peu, alors que la somnolence le gagnait, lui revint en mémoire le souriant visage de Brigitte qui l'attendait là-bas, en Sologne, dans ce merveilleux pays où jamais l'eau ne manque !

« C'est pas Dieu possible, on est complètement paumés… », calcula Dominique après avoir regardé sa montre.

Ils roulaient plein nord depuis bientôt quatre heures et rien n'indiquait qu'ils approchaient du poste. Rien, nulle trace de piste fréquentée et surtout un horizon hostile, plat à perte de vue. Une sinistre hamada où, sans cesse, palpitaient çà et là de fugitifs mirages de plans d'eau, des étendues toutes miroitantes, attirantes comme un étang de Sologne et sur lesquelles ne manquaient que la houle des roseaux et les mouvantes taches des foulques et des poules d'eau.

Dominique observa son voisin, nota que lui aussi paraissait soucieux.

— Tu veux que je prenne le volant ? proposa-t-il.

— Non, ça ira, grogna Moulin en ralentissant. Bon Dieu, où est ce putain de camp ? On vient de faire cent cinquante bornes de plus, on devrait être arrivés !

— Oui, et depuis un bail ! approuva Dominique en se mettant pour la énième fois debout sur le marchepied dans l'espoir de déceler au loin un indice susceptible de les guider.

— On est perdus, c'est sûr ! entendit-il dans son dos.

Il se retourna, vit le première classe Vidélo penché vers lui. Il nota son air apeuré, tendu.

« C'est pas le moment de paniquer », pensa-t-il en s'efforçant de faire bonne figure ; mais l'inquiétude le taraudait aussi.

— Perdus ? Et puis quoi encore ! dit-il. Non, on est descendu plus au sud qu'on ne le croyait, alors maintenant faut regrimper plein nord, le poste est devant nous, c'est sûr, assura-t-il en se rasseyant.

— Pas sûr…, marmonna son voisin.

— Comment ça ?

— Et si on l'avait dépassé ? insista Moulin. Ben oui, on est peut-être trop à droite et trop haut, si ça se trouve ce qu'on cherche devant est peut-être déjà dans notre dos…

« Bon Dieu, c'est bien possible, calcula Dominique, ce qui est sûr, c'est que nous ne sommes pas trop à gauche car alors nous aurions retrouvé la piste de Beni Ounif, voire, au pire, l'oued Zousfanna. Mais à droite et trop haut, ça oui, c'est logique parce que cette saloperie de camp, c'est un grain de blé au milieu d'un terrain de foot, alors pour tomber pile dessus, sans carte ni boussole…

— Il te reste de la flotte ? demanda-t-il en soupesant une fois de plus sa propre gourde.

— Un quart, à peine, dit le chauffeur en haussant les épaules.

« Là, ça va devenir duraille, pensa Dominique, si plus personne n'a de quoi boire, ça ne va pas tarder à gueuler derrière. »

Lui-même était à la limite de l'abattement. Déjà, depuis plus d'une heure, il ne transpirait presque plus et, sur ses bras, comme sur ceux de son voisin, se cristallisaient les stries blanches du sel exsudé par les dernières traces de sueur. Déjà ses lèvres noircies se craquelaient et devant ses yeux fusaient parfois en crépitant des gerbes d'étoiles rouge sang.

— Bon, on arrête cinq minutes et on fait le point, décida-t-il.

— D'accord, approuva Moulin qui, d'instinct, chercha du regard, pendant un instant, un coin pour se mettre à l'ombre.

Mais l'ombre, tout comme l'eau…

Il y avait maintenant plus d'une heure que Dominique, convaincu par les arguments de Moulin, avait ordonné le changement de cap ; aussi le GMC roulait-il plein ouest.

Malgré cela, aucun indice ne prouvait que cette décision et cette nouvelle direction étaient les bonnes. Désormais, aussi rongé par l'angoisse que par la soif – celle-ci devenait intolérable –, Dominique en venait presque à se dire que, tout compte fait, les hommes qui haletaient derrière en essayant tant bien que mal de se protéger du soleil avaient raison.

Une demi-heure plus tôt, profitant d'un nouvel arrêt – il était manifeste que Moulin était épuisé par la conduite et avait besoin d'un peu de repos et d'une petite gorgée d'eau, une des dernières –, Le Goff, Travers et Vidélo, à bout de nerfs et de résistance, s'étaient quasiment rebellés.

À les entendre, tout était la faute des supérieurs hiérarchiques qu'étaient pour eux le brigadier Thibault et surtout le maréchal des logis Jobert. Et puisque ceux-ci étaient, de toute évidence, incapables de guider le camion dans la bonne direction, il devenait de légitime défense de ne plus tenir aucun compte de leur avis…

— Et vous comptez quoi faire ? avait demandé Dominique en quêtant du regard l'aide de Thibault.

Mais ce dernier était lui aussi tellement à bout, tellement éprouvé par l'intolérable température et par la déshydratation que Dominique avait compris que le brigadier se plierait aux désirs de la majorité. En attendant, il se contentait de chasser de la main les myriades de mouches qui avaient fondu sur eux dès l'arrêt du véhicule.

— Ce qu'on va faire ? On s'arrête ! avait presque ordonné Vidélo. Oui, on s'arrête, on se fout à l'ombre du camion, on attend que le moteur refroidisse et on se tape l'eau du radiateur, voilà ce qu'on va faire !

Et ses compagnons avaient approuvé ce plan.

— Vous êtes dingues, non ? Vous voulez crever ici ? avait grondé Dominique. Avec votre système à la gomme on est sûr d'y passer ! Et puis l'eau du radiateur est dégueulasse, rouillée, imbuvable, empoisonnée !

— Ouais, mais c'est quand même de l'eau, alors crever pour crever ! avait balbutié Travers en titubant d'épuisement.

— Ils ont raison ! On s'arrête, avait approuvé Le Goff.

— J'ai rien à foutre de votre avis à la con, rien ! avait tranché Dominique. D'ailleurs, si ça se trouve, le camp est quasiment là, tout près…

— Vous dites ça depuis ce matin et nous on en a marre et on va boire, que ça vous plaise ou non, avait menacé Vidélo, on a soif, nom de Dieu ! Soif !

— Moi aussi, alors ta gueule ! Voilà ce qu'on va faire, avait ordonné Dominique, on roule, on cherche, on a toute l'essence qu'il faut pour ça. Et si, à la nuit, mais pas avant, on est toujours aussi paumés, alors d'accord, on s'arrêtera et on videra le radiateur, même si c'est une connerie ; ensuite on fera un feu avec l'essence en rab et les gars du camp qui nous cherchent sûrement déjà nous retrouveront grâce au feu ! Et on ne discute pas ! Merde ! Je suis à moins de quinze jours de la quille, je ne vais pas me laisser crever en plein bled ni emmerder par des bleus ! En route, et fissa !

— Vous avez raison, maréchal des logis, était alors intervenu Moulin, faut rouler, rouler. Et personne ne touchera à mon radiateur tant que vous ne le direz pas !

— Démarre, vite ! avait alors ordonné Dominique.

Puis il s'était penché vers son voisin qui accélérait et lui avait glissé :

— Merci, vieux, ce soir je te paie une pleine caisse de bière !

Il y a maintenant bientôt une heure que le GMC cahote en direction de l'ouest et rien n'indique qu'il file dans la bonne direction.

À l'arrière, assommés par la soif, les hommes se sont tus. Cramponné à son volant, Moulin, malgré son épuisement, conduit du mieux qu'il peut, en haletant.

Muet, car parler fatigue, Dominique songe qu'il est vraiment stupide de finir ainsi, à moins de deux semaines de sa libération. Finir bêtement, par manque d'eau, finir en constatant, *de visu,* la dégradation de sa propre carcasse, cette peau des bras et des mains qui blanchit de plus en plus et se fendille, ces lèvres qui se craquellent sans même saigner tant la moindre trace de liquide du corps semble avoir été absorbée par l'intenable chaleur ; et il y a longtemps qu'il est douloureux de déglutir car même la salive fait défaut…

Et Dominique pense à tous ces étangs de Sologne qu'il devait revoir dans moins de quinze jours, à toute cette eau, merveilleuse, salvatrice. Il ne pense plus qu'à elle. Boire, boire ! Boire, oui, mais pourtant se retenir de finir le demi verre de thé bouillant que sa gourde contient encore. Garder cette ultime réserve, celle qui, par infimes gorgées, lui permet tous les quarts d'heure de s'humecter un peu la langue et de demander à son voisin s'il tient toujours le coup. Tenir, coûte que coûte, pour boire enfin, boire jusqu'à la noyade. Boire !

— Grimpe là-haut, murmura Dominique en indiquant du doigt une colline un peu plus haute que celles au milieu desquelles louvoyait le GMC depuis vingt minutes.

— Là-haut ? Vous croyez ? marmonna Moulin.

— Monte et arrête-toi. Si on ne voit rien de là-haut, si on ne se repère pas, alors on fera ce que veulent les gars, on videra le radiateur et on attendra la nuit.

— Après tout..., dit Moulin en haussant faiblement les épaules et en rétrogradant pour attaquer la pente.

Le cœur de Dominique bondit soudain lorsqu'ils atteignirent le sommet.

— Bon Dieu, murmura-t-il, si ce n'est pas un mirage, on est tirés d'affaire !

Il se retourna pour prendre les hommes à témoin, mais ceux-ci, tapis à l'ombre des ridelles, n'avaient aucune envie de bouger.

— Eh ! Regardez, quoi ! appela Dominique. Cette fois on tient le bon bout ! Je le savais bien qu'il fallait rouler !

Alors, un à un, les hommes se dressèrent et regardèrent dans la direction indiquée par le sous-officier.

Là-bas, au nord-ouest, très loin certes mais merveilleusement rassurant car signe indiscutable qu'ils étaient sauvés et que la direction était maintenant facile à prendre, se dressait le djebel Grouz et cette ligne violette, en dents de scie, que Dominique aurait reconnue entre mille. La piste était là-bas, loin encore, à au moins une demi-heure de route, mais elle conduisait droit sur le poste, sur l'eau, l'eau !

Une vague de bonheur submergea Dominique. Certes, il fallait encore tenir, mais désormais il était possible de le faire en s'accrochant à la certitude que bientôt l'eau coulerait à flots.

— Allez va, soupira-t-il en tapant affectueusement l'épaule de Moulin, tu as conduit comme un champion. Tout à l'heure, tu auras ta caisse de bière. Non, deux caisses, tu ne les as pas volées !

Ce fut à quelque trente kilomètres du poste et alors que le GMC fonçait sur la piste enfin retrouvée que Dominique et Moulin aperçurent les deux véhicules qui progressaient vers eux dans un tourbillon de sable.

— C'est BMC qui nous cherche, dit Dominique d'une voix très affaiblie car sa gorge le brûlait effroyablement.

Il vit que son voisin acquiesçait, s'efforça de sourire malgré ses lèvres maintenant éclatées comme des figues trop mûres.

« C'est bien normal qu'il nous cherche, cet enfoiré, pensa-t-il, l'a dû salement se faire engueuler par le 'pitaine, parce que c'est quand même lui qui nous a lâchés en gardant la flotte et les cartes ! »

Mais il ne lui en voulait pas tant il était heureux, immensément heureux car sauvé. Et lui eût-on annoncé que son temps de service venait d'être sérieusement allongé que cela n'eût pas diminué son bonheur. Il venait, pendant des heures, de mesurer à quel point la vie est fragile, simple fil ténu que le manque de quelques litres d'eau pouvait rompre, un jour de septembre, sous le soleil saharien.

Peu après, c'est en titubant vers les camions venus

à leur rencontre que Dominique et ses compagnons empoignèrent les guerbas ruisselantes que leur tendaient les copains ébahis par leur teint recuit, maintenant rouge brique, leurs gestes et leurs démarches d'hommes épuisés, à la limite de l'évanouissement.

Assis à l'ombre d'un Berliet, bouche collée à l'embout de l'outre en peau de chèvre, Dominique boit, à longs traits, boit à en perdre le souffle et chaque gorgée lui est un bonheur, une joie incomparable.

Il boit et boit encore et lorsqu'il repose la guerba, vidée de ses cinq litres d'eau et que, peu à peu, quelques rares gouttes de sueur recommencent enfin à perler sur son front, son torse et ses bras, il embouche aussitôt une nouvelle gourde.

Il boit de nouveau, puis s'asperge en riant d'aise, reboit encore.

Dominique avait toujours en bouche le goulot d'une canette lorsque plus tard, retour au camp, il se glissa sous la douche où déjà, assis sous les jets, se congratulaient ses compagnons de chasse, toutes rancœur et colère oubliées.

— On revient de loin, maréchal des logis, pas vrai ? lui lança Le Goff.

Il sourit, pleinement heureux de les voir tous là et de les avoir ramenés à bon port et en pas trop mauvaise forme, puis se laissa submerger par le plaisir de l'eau chutant sur son corps. Cette eau merveilleuse qui l'imbibait, le régénérait, le ressuscitait, assouplissant sa peau, atténuant les brûlures du soleil, lui procurant un ineffable et total bien-être.

« Je me fais l'impression d'être une éponge oubliée au soleil et qu'un seau d'eau regonfle, s'amusa-t-il en se prélassant sous le jet d'eau, ou encore une plante desséchée et flétrie qu'une grosse averse d'orage abreuve et redresse en quelques minutes Dans le fond, je n'ai jamais été aussi heureux de ma vie, se surprit-il à penser, mais qui croira ça. »

Conscient de revenir de très loin, d'avoir frôlé une mortelle frontière et d'être maintenant là, bien vivant et surtout libre de boire jusqu'à plus soif, comblé, ivre d'eau et de bonheur, Dominique se mit à chanter.

CONTES DE NOËL ET LÉGENDE

La longue marche du berger

Il avait nom Manuel Castro mais, sur le chantier, on l'appelait simplement Manu. Ah ! ce chantier, en avait-il rêvé, jadis, dans son petit village écrasé de soleil ! Un village comme il en existe dans tous les pays pauvres et chauds ; blanc comme la craie, figé dans la touffeur estivale, lourd de mouches, de misère, de femmes en noir et d'une ribambelle d'enfants.

Manuel Castro était né avec la faim au ventre. Une faim sournoise, permanente, lancinante, que ne parvenaient jamais à endormir les quelques bribes de morue, les olives, le quignon de seigle et le fromage de chèvre que sa mère leur donnait, à ses deux frères, à ses trois sœurs et à lui. Aussi, très tôt, tout jeune encore, alors qu'il gardait les chèvres du village, dans les caillasses et la poussière de la contrée, Manuel avait rêvé de la France.

Là-bas, assuraient quelques anciens du village, la vie était belle, facile, les gens riches et aimables, le travail peu fatigant, les salaires énormes…

— D'ailleurs, lui répétait son père, si j'avais toujours mes deux jambes, je serais là-bas, comme ton oncle Oliveira et ta tante Zoumira ! Oui, je serais là-bas et riche ! Et comme eux, je reviendrais parfois au village avec une belle automobile et de l'argent plein les poches… Là-bas, c'est le paradis terrestre, tous ceux qui y sont partis me l'ont dit…

Et le vieux père Castro essuyait une larme en disant cela et agitait tristement la jambière gauche – et vide – de son pantalon ; il s'était fait écraser la jambe entre la coque d'un chalutier et le granit du quai en déchargeant une cargaison de sardines.

Mais Manuel, lui, avait ses deux jambes et il avait faim, et il était l'aîné de six. Aussi, à force d'entendre parler de cette terre promise qui avait nom France, se fit-il à l'idée d'entreprendre un jour la longue marche qui le conduirait jusqu'à ce pays de cocagne où même les chiens et les chats – lui avait-on dit – étaient nourris avec de vraies conserves, des boîtes de plats cuisinés, de la viande ! Il en salivait rien qu'en y pensant, tout en gardant son troupeau de chèvres.

Enfin arriva le jour de ses dix-huit ans. Encore plus tôt levé que d'habitude, il serra quelques pauvres effets dans une gibecière élimée, embrassa son père, sa mère, ses frères et sœurs, leur promit de leur envoyer chaque mois de quoi vivre largement et prit gaiement la route. Il marcha plein nord, droit vers Paris et ses mirages, certain d'y faire sous peu fortune.

Il marcha longtemps, longtemps, et la faim lui tenaillait toujours le ventre. Parce qu'il ne possédait aucun papier qui lui donne le droit de travailler en France, il passa la frontière en contrebande et donna ainsi au passeur les dernières piécettes de son maigre pécule – modeste somme économisée depuis cinq ans, en vue de ce grand voyage. Mais il était tellement heureux d'être enfin arrivé au pays de ses rêves qu'il ne s'inquiéta pas outre mesure d'être ainsi démuni de tout, riche de ses seules mains pour travailler et d'une espérance grande comme l'univers.

Il avait quitté son village à la fin du mois d'août ; octobre le trouva vendangeur en Bordelais et il crut que la chance, déjà, lui souriait. Mais parce qu'il ne parlait pas un mot de français, qu'il ne possédait aucun permis de séjour et de travail, son employeur – un excellent homme au demeurant qui, chaque dimanche, donnait dix francs à la quête… –, son patron, donc, se contenta de le nourrir et de le loger pendant les quinze jours que durèrent les vendanges. Puis, la récolte faite, alors que Manuel, tout gauche et intimidé, ne savait pas comment réclamer son salaire, l'employeur – ému de sa propre générosité – lui glissa magnanimement un billet de cent francs après lui avoir dit :

— Tiens petit, ça te permettra d'aller jusqu'à Paris et, si tu veux, tu pourras revenir l'an prochain. J'aime bien les petits gars comme toi, avec eux on n'a jamais d'histoire…

Il pleuvait lorsque Manuel prit la route, au matin ; et sous l'eau froide son enthousiasme s'attiédissait.

En fin de soirée, un gros camion de primeurs qui montait jusqu'à Rungis daigna s'arrêter lorsque Manuel – petite silhouette ruisselante au bord du macadam luisant – leva un bras timide.

— Tu vas à Paris ? demanda le routier.

— Paris ! Paris ! sourit Manuel en s'installant dans la cabine, Paris ! redit-il en s'assoupissant bientôt car les vingt-cinq kilomètres de marche effectués depuis le point du jour lui pesaient dans les jambes. Et parce qu'il était trempé par une journée de pluie, qu'il empestait le chien mouillé, le conducteur ouvrit en grand le chauffage. Puis il alluma une gauloise pour atténuer un peu l'odeur de misère qui flottait autour de son passager…

Malgré l'immense désillusion qu'il ressentit après seulement huit jours de vie parisienne, Manuel s'entêta quatorze mois durant. Il travailla de chantier en chantier, dormit de taudis en taudis. Maçon, comme nombre de ses compatriotes, il était de ceux que l'on paie quand on y pense – et toujours mal –, que l'on rabroue, menace parfois, traite d'étrangers, de bicots ou de métèques. Malgré cela, et le prix exorbitant que lui réclamait le marchand de sommeil – un Portugais lui aussi – pour une paillasse miteuse dans une mansarde du quartier Barbès, il parvint chaque mois à expédier au Portugal la plus grosse partie de son salaire minable. Mais s'il était fier de contribuer ainsi à nourrir sa famille, la tristesse le rongeait néanmoins, et l'ennui, un atroce ennui.

Désormais, il le savait, jamais il ne deviendrait ce riche monsieur qui pourrait rentrer au village la tête haute et couvrir toute sa famille de cadeaux. En dépit de cela, et de la honte qu'il faudrait subir dès son retour au pays, s'insinua en lui l'idée d'un nouveau départ ; et tant pis si les voisins glosaient de l'avoir vu partir misérable et revenir pauvre…

Ce fut l'hiver qui le fustigea, lui insuffla la force de prendre une décision. Déjà déprimant en été, le chantier dans lequel il travaillait lui apparut soudain comme l'antichambre de l'enfer, avec ses grues grinçantes, sa gadoue permanente, le bruit assourdissant des bétonnières et les coups de gueule du chef d'équipe.

Au matin du 23 décembre, Manuel boucla la petite valise de toile qui lui servait d'armoire, puis quitta subrepticement la chambre dans laquelle dormaient six autres pauvres hères.

Une fois dans la rue, il frissonna car le froid était vif, resserra autour de son cou le ciré jaune qui le protégeait pendant son travail sur le chantier et se dirigea plein sud, droit sur le Portugal.

Tout éclaboussé par la boue que projetaient les voitures qui filaient vers les stations de sports d'hiver, transi de froid et de faim, Manuel n'osait même plus lever le bras, certain que personne ne serait assez fou pour prendre en charge un vagabond aussi misérable que lui.

Il marchait depuis le matin et dans ses bottes, brûlées par le ciment et usées par les parpaings, s'insinuait une eau froide qui clapotait à chacun de ses pas. La chance qu'il avait eue la veille ne se reproduirait pas. Un camion l'avait pris en charge dès la sortie de Paris et conduit non loin de Vierzon. Manuel avait ensuite marché toute la soirée pour s'abriter enfin, au soir, lourd de fatigue et de tristesse, dans un hangar à paille où il avait passé la nuit. Et maintenant, une deuxième nuit revenait et, dans la plaine immense que cernait, au loin, la masse sombre d'une forêt, nul abri ne se présentait.

« J'aurais dû prendre le train… », se reprocha Manuel. Mais il haussa les épaules ; le train, c'était la fuite irrémédiable de plusieurs de ces billets qu'il comptait bien rapporter chez lui, sa mère en serait si contente !

Une grosse et rapide voiture l'éclaboussa de nouveau, puis une autre encore. Alors, par lassitude et découragement, peut-être aussi pour repousser la tentation de se jeter sous les roues du prochain véhicule et d'en finir avec cette chienne de vie, Manuel quitta la grand-route et prit un chemin de traverse ; un mauvais chemin, plein de boue et d'ornières profondes creusées et recreusées par les roues des tracteurs. Abruti de fatigue et de désillusion, il marcha jusqu'à la nuit complète.

« Cette fois, pensa-t-il en s'arrêtant enfin, je suis perdu ! » Et cette idée l'affola. Hagard, trempé jusqu'aux os, il chercha à s'orienter, voulut revenir sur ses pas pour retrouver la grand-route, chuta lourdement dans un fossé, tourna dans les labours gluants, courut, appela en vain puis, éreinté, vaincu, s'assit sur sa petite valise et pleura de détresse.

Dans le ciel de ce 24 décembre, après un grand coup de vent qui balaya les nuages, palpitèrent bientôt des millions d'étoiles.

« Sainte Marie ! implora Manuel, il paraît que les Mages qui sont venus vous voir à la crèche se guidaient sur une étoile. Je sais bien qu'ils étaient riches, eux, et savants aussi, et que moi je suis pauvre et pas malin, mais guidez-moi quand même ! Dites-moi vers où je dois aller. Autrement, je vais mourir de froid… Sainte Marie, trouvez-moi au moins une meule de paille, c'est pas grand-chose, une meule de paille, mais c'est bien suffisant pour moi, pauvre petit berger de chèvres, perdu dans un pays où même les chèvres sont mieux traitées que moi… »

C'est en relevant la tête qu'il vit soudain la lumière. Elle scintillait là-bas, loin devant, dans la masse noire de la forêt ; une toute petite lumière, mais tellement pleine d'espérance et de promesses !

Malgré sa grande fatigue et le poids de ses bottes gorgées d'eau, Manuel se mit en marche vers la lueur. Et sa crainte était si grande de la voir s'éteindre soudain, de la voir disparaître en le plongeant à nouveau dans les ténèbres, qu'il se mit à courir. Il s'engouffra dans la forêt, déchira son ciré dans les ronces, se griffa joues et mains dans les buissons noirs et arriva enfin, épuisé, haletant, dans une cour de ferme où, toujours rassurante et chaude, brillait l'ampoule, comme une étoile.

Un chien jappa soudain ; pas d'un grognement agressif et hargneux, mais d'un léger appel de la gorge, juste pour prévenir que quelqu'un était là.

Paralysé de peur, Manuel, figé au centre de la cour, vit la porte de la maison s'ouvrir et apparaître une massive silhouette.

— C'est vous, docteur ? lança l'homme en avançant. Ah ben, non ! dit-il après un instant d'observation, vous ne ressemblez pas au docteur. Mais qu'est-ce que vous faites là ?

— J'étais perdu, balbutia Manuel, j'ai vu la lumière, alors je suis venu…

— C'est ce qu'il fallait faire, approuva l'homme, mais ne restez pas dehors.

— Si je pouvais dormir dans la paille…, hasarda Manuel sans bouger.

— Mais non ! Entrez, je vous dis, entrez ! Ce soir, c'est fête, et doublement ! s'exclama l'homme en venant vers lui. Vous m'excuserez, dit-il en entraînant Manuel vers la maison, je croyais que c'était le docteur ! Oui, expliqua-t-il en riant d'aise et de fierté, je lui ai téléphoné à cause de ma femme. Il devait venir la voir avant qu'elle n'entre à la maternité ; c'est pour lui que j'ai allumé dehors !

— Ah bon ? bégaya Manuel qui ne comprenait goutte.

Ils pénétrèrent dans la maison et la douce tiédeur de la pièce envahit Manuel d'un bien-être ineffable.

— Oui, poursuivit son hôte en le poussant vers l'âtre où ronflait un feu de chêne, nous attendions un héritier pour le 1er janvier ; il est venu ce soir, et sans histoire, comme un grand, sans faire de façons, aussi aisément qu'un chevreau ! La preuve, il n'a même pas attendu le docteur ! Ah ! si vous saviez comme je suis heureux ! Notre premier enfant après sept ans de mariage ; et juste à minuit, pour un 24 décembre !

— Qui est là ? demanda une voix de femme en provenance de la chambre.

— Un ami, le premier admirateur de ton fils, après moi bien sûr ! Tenez, goûtez-moi donc ce champagne !

— Non, non, remercia Manuel, je n'ai pas mangé depuis ce matin et j'ai peur que..

— Et qui est cet ami ? insista la jeune femme.

— Je ne sais pas, dit l'homme, il est venu nous voir, ça suffit, non ? On ne laisse pas quelqu'un dehors une nuit de Noël !

— Bien sûr, dit la jeune femme, mais il t'a dit qu'il avait faim, alors donne-lui à manger ; d'ailleurs, c'est l'heure du réveillon.

— Dites, demanda timidement Manuel après avoir englouti à lui seul presque la moitié de la dinde, votre petit, comment il s'appelle ?

— Cette blague ! Pour un bébé né cette nuit, Emmanuel s'impose, non ? Et vous, comment vous vous appelez ?

— Manuel Castro. Et chez moi, là-bas, au Portugal, j'étais berger de chèvres…

— Berger ? murmura l'homme, comme c'est curieux… Le nôtre nous a quittés voici deux jours en me laissant sur les bras deux cents chèvres prêtes à mettre bas… J'ai pourtant la réputation de bien payer mes employés ! Dites, ça vous dirait de prendre sa place ?

— Oh oui ! s'exclama Manuel qui n'en croyait pas ses oreilles.

— Tu as entendu, Marie ? dit l'homme en se levant et en entrant dans la chambre, nous avons un nouveau berger ; c'est vraiment le ciel qui nous l'envoie, non ?

Mais Marie dormait déjà et, à ses côtés, le tout petit Emmanuel, béat, souriait aux anges.

Les premiers santons

— Va au diable ! hurla l'homme d'une voix avinée. Ce soir moins que jamais, nous ne voulons de traîne-savates dans le village !

Il claqua violemment la porte et revint en grommelant vers ses amis qui se chauffaient devant l'immense feu, tout en vidant force cruchons de vin.

— C'est incroyable, ça, hoqueta une grosse fille en repoussant sans aucune conviction la main de son voisin qui s'égarait vers son corsage, plus ils sont sales et puants, plus ils sont audacieux ! La semaine passée, nous avons dû lâcher les chiens sur un de ces mendiants qui rôdait autour de la basse-cour !

— On devrait tous les pendre avec cette corde pisseuse qu'ils se nouent autour de la taille, renchérit un troisième homme en tisonnant le brasier.

— Non, il faudrait les envoyer aux galères, proposa un buveur, là au moins ils serviraient à quelque chose, et puis, ça débarrasserait nos campagnes !

— Tout ça, c'est voleurs, jeteurs de sort, porteurs de peste, assura le maître de maison, et, en plus, ils sont tous feignants comme des couleuvres ! Allons, femmes, lança-t-il en direction des servantes qui s'affairaient dans un coin de la pièce, mettez-nous ces chapons, ces oies et ces boudins à rôtir. Je sens la faim qui me ronge l'estomac et, par Dieu, il ferait beau voir qu'elle me torture plus longtemps !

Le jeune homme soupira doucement lorsque la porte lui claqua au nez ; il était habitué à de tels accueils. Soudain, une grosse nappe de neige, ébranlée par la secousse de l'huis de chêne frappant le chambranle, glissa le long du chaume, tomba lourdement sur sa tête et le jeta au sol. Il se releva, frotta sa rude bure déjà gelée puis, se mettant à genoux, il fouilla et tâtonna dans la neige à la recherche d'une de ses sandales qu'il venait de perdre dans sa chute. Il la retrouva enfin, la secoua et l'enfila sur son pied bleu de froid ; puis, s'appuyant sur le léger bâton de noisetier qui lui servait de canne, il plongea vers l'immense forêt qui cernait le village.

Ce soir-là, aucune maison n'avait voulu s'ouvrir et même les étables lui avaient été interdites.

« C'est normal, pensa-t-il, ce soir c'est une fête de famille, les vagabonds n'ont pas leur place dans les foyers. »

Il trébucha sur une souche et s'affala lourdement dans la neige ; et il était si las, si affamé, si transi, qu'il fut presque tenté de rester là, dans ce linceul glacé qui, déjà, paralysait ses membres raidis par le froid ; pourtant, il se releva.

— Ah, ma sœur la neige, tu n'es guère aimable, dit-il en s'essuyant.

Il se passa la main sur le visage pour en chasser les flocons et ses doigts gourds crissèrent dans sa barbe figée par la glace.

— Et toi aussi, ma sœur la glace, tu commences à me faire souffrir ! Mais je ne vous en veux pas, vous faites ce pour quoi vous êtes faites ! Où irions-nous, Seigneur, si la neige était chaude et la glace bouillante ! Allons, il faut quand même que je marche pour tenter d'atteindre l'autre village qu'on m'a dit tapi par là, à quelques lieues dans la forêt.

La neige, qui couinait sous ses pas et engourdissait ses pieds nus dans ses sandales, lui montait presque aux genoux et entravait sa progression. Alors, pour se donner du courage et parce que, envers et contre tout, il portait la joie dans son cœur, il se mit à chantonner.

Il entrait dans la forêt lorsque la lune se leva, énorme, blême de froid. Elle inonda toute la campagne d'une éblouissante lueur et, d'un coup, tout le paysage scintilla comme un gigantesque diamant.

— Merci, sœur lune ! lança le jeune homme, merci de venir éclairer mon chemin ! Grâce à toi, je ne suis plus un aveugle tâtonnant ; grâce à toi, j'y vois comme en plein jour.

Il progressait depuis plus d'une heure et commençait à douter d'atteindre jamais le hameau indiqué (les peu aimables villageois lui avaient peut-être fait une méchante farce...) lorsqu'il sentit une présence dans son dos. Ce ne fut pas le bruit qui le mit en alerte, car les bois, pétrifiés par le gel, étaient silencieux comme un tombeau. Pourtant, il était certain que quelqu'un était là, non loin, quelqu'un qui l'observait et sans doute le suivait. Il se retourna et les vit.

Là, à vingt pas de lui, au moins trente loups et de belle taille, dans un demi-cercle parfait, le cernaient peu à peu ; et sous la lune, leurs yeux brillaient comme les braises de l'enfer.

Il eut peur et tout en tripotant la grosse corde à nœuds qui lui ceignait les reins, il balbutia une prière.

— Seigneur, il est peut-être dans votre idée de m'offrir, moi, pauvre François, en réveillon à ces fauves... Mais je vous rappelle qu'il est sacrilège de donner ainsi un chrétien en pâture à des bêtes... Aussi, permettez-moi de ne pas être l'artisan de cette vilenie, dit-il en commençant à reculer doucement.

Lentement, tremblant de froid et de peur, il progressa vers l'immense cèdre dont la taille l'avait émerveillé juste avant qu'il ne décèle la présence de ses peu fréquentables compagnons de rencontre. C'était un arbre superbe dont les branches, étincelantes sous la neige, formaient une nef, vaste comme une cathédrale, et dont la tête fièrement dressée ressemblait, dans sa blancheur de glace, à l'imposante voile d'une fantastique et majestueuse caravelle.

« Peut-être que je pourrais grimper dans l'abri de ses branches », pensa François pour se donner du courage.

Mais l'arbre était encore à plus de cent pas et la meute n'était plus qu'à dix…

— Écoutez, frères loups, commença-t-il tout en poursuivant son repli, je sais que vous avez faim, mais moi aussi j'ai faim ! Écoutez-moi, je sais que ce n'est pas bien ce que je vais vous dire, mais il y a, non loin d'ici, un village où j'ai aperçu plusieurs moutons dodus à souhait, de beaux et gras moutons qui, sans nul doute, finiront bientôt sous le couteau du boucher… Oui, je sais, eux aussi sont des créatures du Seigneur, mais n'est il pas dans leur vocation d'être mangés un jour ? Et puis, regardez-moi ! Je suis plus maigre qu'une faucille, mon sang est gelé et la glace a, je crois, pétrifié la moelle de mes os ! Vous êtes plus de trente, un pauvre squelette comme le mien ne vous rassasiera pas ! Alors, pour avoir le moins pitoyable morceau de ma pauvre carcasse, vous allez devoir vous battre pour me dévorer, et c'est très mal de se battre, surtout cette nuit ! Vrai, je ne peux le permettre ! Écoutez, insista-t-il en constatant que les bêtes s'approchaient de plus en plus, Dieu m'est témoin que je n'aime pas me vanter de ce que je fais, mais, voici peu, j'ai remis un de vos congénères dans le droit chemin. Oui, c'était à Gubbio, vous pouvez vérifier, et les braves gens de là-bas ont crié au miracle. J'ai eu beau leur dire qu'il n'y avait pas de miracle à apprivoiser un de mes frères loups, ils continuent à dire partout que c'est un phénomène divin. Mais peu importe, sachez simplement que je lui ai sauvé la vie, à ce loup, ça, c'est vrai ! Alors, vous n'allez quand même pas prendre ma pauvre peau pour me remercier d'avoir sauvé la sienne ?

Il jeta un coup d'œil par-dessus son épaule, vit le cèdre dans lequel il comptait grimper et gémit. Le tronc était si gros et les branches si hautes que jamais il ne pourrait escalader un pareil monument. Il continua cependant à reculer vers lui car, maintenant, les fauves l'entouraient. Il recula jusqu'à ce que son dos bute contre l'écorce rude.

Alors, regardant ses bourreaux, il recommanda son âme à Dieu, ferma les yeux et attendit en souhaitant que l'affaire ne traîne pas.

« Eh bien, pensa-t-il après un long moment, que veulent-ils, que je meure de froid ? »

Il ouvrit les yeux, sursauta. Assis en cercle autour de l'arbre, les loups semblaient attendre. L'un d'eux, un vieux grand loup aux oreilles déchirées par les ans et les combats, bâilla même longuement, comme s'il s'ennuyait, et François frémit en voyant scintiller ses formidables crocs.

« Je ne crois pas qu'ils veuillent de ma frêle carcasse, pensa-t-il, alors peut-être me laisseront-ils partir ? »

Et il esquissa un pas. Mais les loups se groupèrent aussitôt, plusieurs même grondèrent un peu.

— Écoutez, frères loups, plaida-t-il, le froid va me tuer si je reste immobile, il faut que je marche, que je me réchauffe ou alors, avant peu, je serai aussi raide que le tronc de ce sapin !

Mais lorsqu'il tenta d'avancer, les loups resserrèrent leurs rangs.

Ils étaient tout contre lui maintenant, tout proches et, déjà, leur haleine brûlante réchauffait agréablement le corps, bleu de froid, du jeune homme. Malgré cela, et cette douce tiédeur qui l'engourdissait délicieusement, François ne pouvait se résigner à se coucher là, au pied de l'arbre, et à dormir. Se couche-t-on quand minuit approche dans la nuit de Noël ?

— Oui, dit-il aux bêtes, c'est Noël cette nuit ! Vous comprenez ? Noël, c'est la venue de l'enfant Dieu, du tout petit bébé qui est né pour nous. Vous savez bien à quoi ça ressemble, un tout petit bébé. C'est beau, chaud, potelé, c'est minuscule et pourtant ça porte tout l'espoir du monde ! Ça ne pèse guère plus qu'un oreiller de plume et pourtant c'est plus lourd d'espérance que l'univers entier ! C'est fragile, vulnérable et innocent comme une fleur d'amandier et pourtant ça soutient tout l'avenir de l'humanité ! C'est faible comme un ruisselet sous la canicule et c'est pourtant plus chargé de promesses que tous les printemps de tous les temps ! C'est…

Et brusquement, animé par une étrange flamme, un impérieux besoin de mieux se faire comprendre des bêtes, il se jeta à genoux, puisa la neige à pleines mains et, fou d'amour, modela un enfant Jésus tout blanc qu'il déposa délicatement au pied du sapin. Puisqu'il n'avait plus froid maintenant, la joie inondait son cœur et il fredonnait un chant de louange à travers ses lèvres gercées, fendillées par le gel.

— Vous comprenez maintenant, frères loups ? Voilà la crèche ! Et regardez, dit-il en riant, il faut que je rajoute les bergers. Oh, ne vous fâchez pas, lança-t-il en entendant gronder les fauves, je sais que vous n'aimez pas les bergers, vous leur préférez les moutons. Mais ça ne fait rien, ce soir c'est Noël, les loups, les bergers et les moutons doivent faire la paix, en l'honneur du Sauveur et aussi pour que le petit enfant qui est là se mette à sourire !

Et, ramassant la neige à brassées, il érigea les bergers et leurs troupeaux. C'est lorsqu'il déposa un petit agneau de glace au pied de l'enfant de neige que soudain, comme embrasé par un immense feu, le sapin tout entier s'illumina. Il brilla comme un soleil et inonda toute la forêt d'une chaude lumière.

Alors, devant François émerveillé, toujours à genoux, l'enfant gazouilla et ses petites menottes se tendirent vers le jeune homme. La Vierge sourit et saint Joseph chantonna. Le bœuf commença à ruminer lentement et l'âne soupira en agitant ses grandes oreilles. Les bergers chuchotèrent entre eux et les agneaux bêlèrent. Enfin, pour ne pas être de reste, groupés devant la crèche, les loups modulèrent vers le ciel un long hurlement d'allégresse.

La légende de la pomme

Ainsi donc, à en croire les Saintes Écritures, il aurait suffi qu'un vilain reptile présente une simple pomme à Ève pour que cette dernière la dévore aussitôt et bouleverse ainsi la destinée de toute sa descendance et du monde. Je trouve cette histoire un peu courte, voire injuste, tant pour notre Mère à tous qu'envers la pomme.

En fait, ce ne fut pas si simple. D'abord et avant tout, il importe de savoir avec quelle variété de pomme Dieu le Père couvrit l'arbre défendu. Supposons un instant que, dans un moment de distraction, ou de fatigue – n'oublions pas qu'à cette époque Dieu avait beaucoup de travail (essayez donc de bâtir l'univers en six jours et vous m'en direz des nouvelles !), supposons donc que Dieu ait créé n'importe quel pommier, de n'importe quelle variété et dans n'importe quelle région du monde. Son interdiction de toucher à ses fruits eût alors été parfaitement superflue. Pas une seconde l'idée ne serait venue au serpent de s'installer dans la charpente de cet arbre anonyme et guère plus accueillant qu'un figuier de Barbarie ! Il savait bien, le bougre – et il le sait toujours –, que pour tenter efficacement il importe de faire miroiter et d'offrir la quintessence de l'appât. Je ne vois donc pas Satan choisissant un de ces banals pommiers qui, hélas, font florès partout dans le monde (j'en tairai le nom par charité...). Il eût alors dû proposer à Ève un fruit certes très bien calibré, mais fadasse et à odeur de pharmacie, cotonneux et mou, produit par ces tristes et si peu sympathiques fruitiers ; devant une telle proposition Ève lui eût ri au nez, on ne se damne pas pour croquer une pomme aussi vulgaire et terne !

Oui, si Dieu avait été distrait ou fatigué, la marche du monde aurait aujourd'hui une tout autre allure car jamais, au grand jamais, Ève n'aurait mordu dans le fruit défendu ; elle avait du goût, cette femme. Et Dieu le savait.

Aussi s'employa-t-il à créer le roi des fruits, le plus grand, le plus succulent, le régal des régals. Ainsi décida-t-il : « Que la pomme Saint-Germain soit ! » et elle fut !

Elle apparut dans toute sa splendeur dans le verger du paradis terrestre ; belle de forme et de couleur, d'un galbe parfait, d'un jaune brun pâle moucheté de vert tendre, appétissante, excitante, tentatrice…

Et Dieu dit :

— Voici l'arbre défendu, et que soient punis ceux qui croqueront ses fruits avant leur complète maturité ! Je ne décide pas ça pour brimer qui que ce soit mais, bien au contraire, pour le bonheur de l'humanité !

Il voulait faire comprendre par là que la pomme Saint-Germain doit passer l'hiver dans un fruitier bien aéré, au frais sur un lit de paille et dans une quiète pénombre. Là, elle s'affine, concentre son arôme, affermit sa chair, va même jusqu'à se rider comme une petite vieille mais, sous sa peau plissée, délicieuse elle aussi, s'élaborent son nectar, son parfum, sa finesse, sa texture, son goût à nul autre pareil…

Dieu savait tout cela et, malheureusement, Satan aussi… Il se mua donc en serpent et intervint ; il eut beau jeu, l'immonde.

— D'abord, expliqua-t-il benoîtement à Ève, t'as bien entendu ce qu'a raconté le Vieux ? Son histoire ne tient pas debout car où diable, pardon… où donc Adam et toi allez-vous poser ces fruits pour leur faire passer l'hiver, comme Il l'exige, ce despote ? Tu sais bien qu'il n'y a pas d'hiver au paradis terrestre, l'Autre, je veux dire le Patron, le sait mieux que quiconque, ce qui prouve bien que son règlement est inapplicable ! La preuve, vous n'avez pas de cave propice… Alors ? Je vais vous dire, moi, pourquoi Dieu interdit de cueillir ces pommes, c'est uniquement parce qu'Il les veut pour son usage personnel ; il les veut pour lui tout seul, dans le fond, c'est un gros égoïste ! De plus, Il vous a raconté des blagues au sujet de leur maturité. Il est exact que quelques mois de maturation sur lit de paille les rendent encore plus délicieuses ; mais, même fraîches, juste cueillies, les Saint-Germain surpassent, et de très loin, tout ce que vous avez pu manger jusque-là. Tenez, sentez-moi ça… Vous vous rendez bien compte que c'est le fruit des dieux, de tous les dieux ; ben oui, quelque chose me dit qu'ils vont tous rappliquer avant peu…

Déjà, Ève salivait ; Adam, quant à lui, hésitait encore. Prudent, il n'avait pas envie de se brouiller avec le seigneur pour une simple gourmandise. Le serpent devina sa réticence, l'attira de l'autre côté du pommier et lui chuchota :

— Entre nous, pourquoi crois-tu que Dieu veut se réserver ces pommes, hein ? Par gourmandise, d'accord ! Mais allons, réfléchis un peu. Tu as vu quelle est sa force, sa puissance, tu as vu à quel point Il est vaillant, solide, infatigable et tout ce dont Il est capable ? C'est de la pomme Saint Germain qu'Il tire tout cela. Manges-en une et tu seras semblable à Lui, et aussi costaud…

Et comme Adam hésitait toujours, le reptile insista :

— Je ne veux pas m'occuper de vos histoires de couple, ce n'est pas mon genre, tu penses bien, mais je me suis laissé dire que tu négligeais quelque peu ton épouse depuis quelque temps. Si, si, ne nie pas, je le sais, la pauvre petite me l'a dit…

— Ben faut comprendre, marmonna Adam, je ne suis qu'un homme après tout, et la fatigue, c'est humain !

— Eh bien, justement ! Fais donc une cure de pommes Saint-Germain et tu verras à quel point tu te sentiras solide et vaillant. Bon sang, l'Autre a, pour une fois, raison de dire qu'il n'est pas bon que l'homme soit seul, mais moi j'ajoute qu'il n'est pas bon que sa femme se languisse…

— Évidemment, vu sous cet angle… Et tu es sûr que ces pommes me feront…

— Garanti, un vrai bain de jouvence ! Allons, un bon mouvement, pense à Ève ; croque et tu seras aussi fort que Dieu et Ève en sera enchantée.

— Bon, d'accord, mais d'abord ma femme, insista-t-il car il avait de l'éducation.

— Aucun problème, ricana le serpent en se coulant vers Ève.

Et il retint un rire diabolique en constatant que la jeune femme avait déjà cueilli un fruit. Elle le tenait au bout des doigts, le tournait, l'offrait aux rayons du soleil ; et elle était si belle, si gracieuse, que Satan fut jaloux : « Il faudra que je me méfie d'elle si je veux être tranquille, le mieux serait que je m'en fasse mon alliée, et ça doit pouvoir se négocier… », songea-t-il en se lovant à ses pieds.

— Alors, tu manges, oui ou non ? lui lança-t-il.

Ève planta ses fines dents étincelantes dans la chair de la pomme et l'extase la transfigura, la rendit plus belle encore.

— Dieu que c'est bon, soupira-t-elle en fermant les yeux.

Elle dévora la pomme, la dégusta et eut, pendant ces instants, un inoubliable aperçu de la sérénité divine.

— Et moi alors ? protesta Adam en s'approchant.

— Tiens, goûte, dit-elle en lui tendant les restes, tu vas voir, on ne fait rien de meilleur !

« J'ai l'impression de m'être fait avoir », pensa-t-il confusément en avalant le trognon.

Alors, soudain, Dieu apparut et tout alla très vite, et très mal. Tout fut bouleversé. Ainsi commença la longue marche de l'humanité dans un chemin semé d'embûches, de pièges, de malheurs, de guerres et de mort. Et tous les arbres du paradis terrestre se desséchèrent, portèrent des fruits maigres, âpres, aigres ; tous sauf un, car Dieu, malgré son courroux, ne voulut pas détruire le pommier Saint-Germain, artisan involontaire de la chute des hommes. Simplement, et pour qu'on se souvienne de la faute originelle, décida-t-il de marquer à jamais les fruits sublimes.

C'est depuis cette époque que les pommes Saint-Germain ont, sur leurs flancs, à peine visibles mais pourtant bien présentes, de fines stries de couleur vermillon. Elles sont la trace indélébile de ces larmes de sang qu'Ève pleura à peine franchie la porte du paradis perdu ; et c'est une de ces larmes que Dieu, du bout de l'index, recueillit aux paupières de la femme et déposa délicatement dans les fleurs blanches du pommier Saint-Germain

Table

SOUVENIRS D'ENFANCE

MÉMOIRE D'UN AUTRE TEMPS

AOÛT 1960 – AFN

CONTES DE NOËL ET LÉGENDE

Mise en pages PCA
44400 Rezé

Achevé d'imprimer en Espagne en août 2012
sur les presses de
Black Print CPI Iberica

POCKET – 12, avenue d'Italie – 75627 Paris Cedex 13

Dépôt légal : septembre 2012

S21557/01